Déjà parus :

Proverbes et dictons provençaux
Proverbes et dictons du Pays d'Oc
Proverbes et dictons de Bourgogne

A paraître :

Proverbes et dictons de Bretagne
Proverbes et dictons du Pays basque
Proverbes et dictons d'Alsace
Proverbes et dictons du Pays niçois

Pruverbii è detti corsi

corse ~ français

recueillis à San Gavinu
di u Castel d'Acqua
(en Ampugnani)
auprès de Divota Giovannetti
et Francesca Maria Alfonsi
par Paul Dalmas-Alfonsi

Rivages

I.S.B.N. : 2-903059-35-7

© Rivages
10, rue Fortia - 13001 Marseille

Per Serena de Mari
è Laurenza Cardi

E' di sicuru,
Antonbattistu Franchini-Sialelli
u mio figlianu

Sommaire

Avant-propos

« Sì vo nun mi cunniscite
Vi derò nome è casata
(...) Sò di Poghju San Gavinu
In mezu à Lu Prunu è Scata. » [1]

C'est parfois sous cette forme-là que, en accord avec la pratique ancienne, l'improvisateur traditionnel ouvre son chant lorsqu'il se retrouve devant un auditoire qui ne le connaît pas (dans une foire lointaine, par exemple).

En une strophe il se présente, précisant sa communauté d'origine et ce qui permettra de le situer dans un ensemble géographique particulier ; il dira son rattachement à un réseau familial et relationnel précis dont il s'institue pour l'occasion (ainsi qu'il en a assurément et de façon réglée l'habitude), le représentant, le porte-parole.

Ensuite il définira, s'il le faut, les raisons de sa présence en ce lieu étranger.

Si, pour traiter de proverbes, nous commençons par des chansons, c'est parce que ces quelques vers de Battistu Giovannetti nous rappellent à la nécessité de situer exactement notre propos, et tout d'abord spatialement. Cette thématique essentielle revient sans cesse dans ses compositions ; et comme lui, mais d'après un processus certes bien différent, nous nous retrouvons confrontés à des inconnus auxquels il est sûrement nécessaire de tout expliquer.

Mais quelles instances privilégier pour cette définition ? Ce n'est pas si simple car elles s'emboîtent toutes, du plus circonscrit au plus large, en cercles concentriques, tous pertinents. Le lieu du recueil est très ponctuel (un quartier, deux maisons), mais les matériaux obtenus désignent aussi l'ailleurs le plus lointain, valent pour cet ailleurs dans leur contenu d'expérience, comme le plus souvent lorsqu'on traite de littérature orale ; les textes délivrés étant les éléments précieux d'un patrimoine d'usages et de convictions, pétris des principes et des lois qui, dans un même mouvement, en ordonnent le contenu tout en décidant de la forme.

Ces proverbes et dictons de l'Ampugnani sont une affaire de quartier, donc ; de voisinage et de famille, mais communicable à un public plus large. Transmises par la tradition, ce sont des pièces du débat qui atteint aux questions les plus fondamentales, celles des règles de la vie en société, celles de notre présence au monde.

L'ensemble des textes livrés ici ainsi que la plupart des commentaires qui lui sont associés nous ont été donnés dans les périodes de juillet-début août 1974 et fin août-mi-septembre 1975, il y a donc de cela déjà près de dix ans, par Mmes Divota Giovannetti et Francesca Maria Alfonsi [2], habitantes de U Rossu, la partie la plus élevée, largement ouverte sur la vallée et à deux pas de la forêt, du *paisolu* de U Poghju, le plus important des hameaux de San Gavinu di u Castel d'Acqua [3], en Ampugnani. Nous sommes là, déjà en altitude mais point trop éloignés de la mer (les Iles Tyrrhéniennes sont presque à toucher de la main, par beau temps dégagé), en pleine Castagniccia, cette vaste région au fort caractère du N.-E. de la Corse, dans le Deçà des Monts.

Un Terroir

C'est sur les pentes Nord du massif de l'Emerine qui culmine à près .de 1200 m d'altitude et qui fait frontière naturelle avec la *pieve* de Tavagna que l'on trouve le Castel d'Acqua et sa quinzaine de hameaux répartis en quatre communes ; accrochés en pente assez forte le long des coteaux (U Prunu ; U Poghju di San Gavinu), posés comme en surplomb (L'Alzi ; Bonifaziu). L'un d'entre eux, Monte d'Olmu, très haut perché sur une crête s'ouvre de larges perspectives sur les montagnes parfois lointaines, les plaines littorales et la mer mais passe une bonne partie de l'hiver battu des vents ou pris dans les brumes. Certains (E Casette, Campulu Pianu, A Lecce Ghjalata, etc.) s'égrènent le long du Fiumaltu (qui finit par « se jeter dans la mer toscane » [4]), en fond de vallée, longtemps insalubre ; menant une vie un peu à part sur leur bord de route, ils sont autant de haltes possibles quand on monte vers la conque d'Orezza et le haut Ampugnani ; on y exploitait de très petites plaines alluviales.

Les territoires de San Gavinu et U Prunu dominent directement le fleuve, face au mont Sant'Anghjuli ; Scata et surtout San Damianu, décalés vers l'ouest, regardent vers Orezza.

A l'extrémité de l'arête rocheuse séparant ces deux petits ensembles, en sommet d'éperon remarquablement stratégique, subsistent les ruines du château fortifié et du village de Lumitu, résidence croit-on, dans le haut Moyen Age, des descendants (et peut-être du fondateur lui-même, Guglielmu) de la noble lignée des Cortinchi [5].

La légende fait vivre là la pieuse et romantique comtesse Matilda qui, « assai populare e beniffatrice » [6], sanctifia la vallée de nombreux oratoires ; quand elle s'y rendait, pour prier, elle faisait joncher de fleurs les chemins qui y conduisaient, ainsi qu'on le faisait naguère au passage de la procession de la Fête-Dieu *(Corpu di Cristu)* et près des reposoirs.

Le comte de ce lieu, tout à l'inverse, se montra cruel et sanguinaire, abusant d'une autorité qui se voulait sans partage, exerçant son droit de cuissage. Son extrême impiété et les détails d'une fresque, aujourd'hui disparue (évidemment...) mais que l'on connaît par ouï-dire (elle était sur un mur de *Penta à lu Trave*) tendraient à faire penser qu'il était, tout bonnement, une incarnation du Diable lui-même. Et d'ailleurs l'église, depuis longtemps effondrée, de Lumitu était dédiée à *San Martinu*, ce rival efficace.

Après bien des vicissitudes, des désastres guerriers, ces terrains sont restés en friche ; furent abandonnés aux ronces, à la divagation des chèvres, les éboulis de pierres soigneusement taillées, les entrées mystérieuses de la mine et de ces souterrains où dorment encore des trésors fabuleux, qui attendent leur inventeur mais que gardent jalousement des créatures sataniques bruyantes et mauvaises qui, si on les dérange par maladresse, *« s'affaccanu cun speti infiarati ch'impuntanu nentru à l'ombilicu, in corpu !... »* [7]

La géographie magique et légendaire, que dessinent à qui sait les lire les traces et affleurements de l'invisible, double la géographie matérielle qui se construit des fortes marques de l'univers visible ; elle lui donne profondeur, typant plus nettement un paysage au travers duquel se tructure, particulier, « l'esprit du lieu ».

Dans cette région accidentée ne manquent pas ravins ombreux et bois profonds (même domestiqués par la main de l'homme), rochers solitaires excitant l'imagination et, dans un maquis toujours prêt à tout submerger de sa luxuriance agressive, les cours d'eau fréquentés par les esprits errants et les lavandières nocturnes.

Les contraintes de la survie ancienne étaient sévères dans cette région jadis prospère mais au climat difficile, « méditerranéen d'altitude » dit-on, l'un des plus humides de l'île, les montagnes arrêtant là les vents d'est porteurs de pluie. Et l'on passe des fortes chaleurs de l'été *(i sulleoni)* à un hiver froid et parfois fortement enneigé (comme en 1973 où *una nivaghja* tardive, une tempête particulièrement violente, bloqua tout le pays pendant plusieurs jours).

Nous sommes ici dans la région où connut sa plus grande extension la culture du châtaignier, arbre providentiel qui prospère bien sur les sols de la Corse schisteuse. Chaque communauté voyait consacrées à son exploitation d'importantes superficies [8]. Ce verger montagnard, soigneusement sélectionné et greffé, soutenu par de multiples murettes de pierres sèches qui couraient partout soutenant le sol sur les pentes, a fourni très longtemps aux hommes la base de leur alimentation. Les fruits une fois « séchés on ne peut mieux » [9] et réduits en farine, on en confectionnait des bouillies plus ou moins épaisses *(brilluli, maccarella, pulenda)*, des galettes *(pisticcine)*, etc. Mais les fruits séchés et la farine servaient aussi de monnaie d'échange avec d'autres régions pour compléter, par exemple, les réserves de blé, d'huile ou de vin.

Ecoutons A.A. Parmentier :

" LA Châtaigne commence à se recueillir en Corse vers le 20 du mois d'Octobre ; à mesure qu'on la ramasse, on la porte sur la *gratella*, qui est un grenier ou plutôt un entre-sol formé en claie, construit dans une des pièces de la maison que l'on destine à la cuisine, & qui est ordinairement sous le toit (...) c'est sur cette claie qu'on enfile les Châtaignes à mesure qu'on les ramasse ; les met sur un pied & demi de hauteur, & aussitôt qu'il y en a de la largeur de trois ou quatre pieds, on fait du feu dessous.

On a, pour cet effet, un fourneau en bois de deux pieds & demi de large en quarré, sur dix pouces de haut ; le foyer garni en briques ou en pierres est élevé d'environ six pouces de terre (...) Cette manière de mettre le feu sous les Châtaignes est absolument indispensable, si l'on veut les conserver sèches, & les préserver des vers & de tous autres insectes qui pourroient les attaquer. Le feu que l'on fait sous les Châtaignes doit être fort vif & continu, même une partie de la nuit " (10)

Remarquable évocation, partiellement citée, de la série d'opérations, si précises dans leur succession, qui permet de gérer une ressource alimentaire de base. Son exploitation détermina longtemps l'architecture intérieure des maisons de la Castagniccia, ces constructions austères souvent posées directement sur le rocher, calées sur des pentes abruptes, aux murs épais de pierres liées par l'argile *(a terra rossa)* et couvertes de larges plaques de schiste gris bleuté *(e teghje)*. La *sala*, pièce commune organisée pour le séchage des châtaignes, avec son *fucone* ou foyer central, est le centre névralgique de la maison, on y fait la cuisine, on y mange en commun, on y passe les veillées d'hiver, les jeunes hommes fréquemment y dorment sur des bancs. Aujourd'hui on crépit les murs noircis par la fumée, on les carrelle ou les tapisse *(ci si mette a carta)* selon leur nouvelle destination dans les rénovations. Mais, alors même qu'on voudrait effacer tout souvenir du temps *« induve ùn ci era ch'è fume è mullizzu »* (où tout n'était que fumée et saleté), on regrette dans un même mouvement qui, cette fois-ci, idéalise l'entraide « d'avant », le désintérêt pour l'argent. Cette attitude contradictoire traduit un certain désarroi.

Car force est de constater que « l'évolution », « le progrès » légitimement réclamés pour une vie moins rude, de meilleures conditions sanitaires [11], un peu plus de confort et d'« instruction » se sont payés fort cher puisqu'on est passé en quelques décennies d'un état de surpeuplement et donc de relative pénurie alimentaire, à la fin du siècle dernier et au début de celui-ci [12] à une situation démographique exsangue.

L'effondrement, par concurrence des farines importées du continent, de la production des grains d'altitude au faible rendement ne fut que le début d'un mouvement irrésistible d'abandon de toutes les cultures traditionnelles ; le maquis étant laissé seul maître, inexorablement, des châtaigneraies et des champs d'oliviers, des vignes, des vergers *(« sono nominate le ciliegie di Ampugnani »* écrivait Ambrogio Rossi au début du XIXe s. [13]) ; fougères et orties ont désormais gagné la plupart des jardins les plus proches des habitations et qu'on avait toujours si soigneusement entretenus [14].

La région est devenue comme la Corse dans son ensemble une terre d'émigration, conçue comme une véritable logique économique ; émigration vers le continent, Marseille, Toulon et leurs quartiers corses, plus tard Lyon ; vers l'Amérique un peu, mais surtout l'Empire colonial qui réclamait des fonctionnaires, du personnel d'encadrement. L'installation, de 1884 à 1918, à Campulu Pianu, dorénavant rebaptisé Champlan (sur la commune de U Prunu), d'une fabrique d'extrait tannique à partir du bois de châtaignier et qui offrait quelques dizaines d'emploi, d'ailleurs fort pénibles, ne freina pas grand-chose ; la Première Guerre mondiale fit des coupes sombres parmi les jeunes hommes (17 décès à San Gavinu), la grippe espagnole un peu plus tard frappa les filles... Les naissances sur place, les retours « à quinze ans » des militaires retraités de 35 ans, ne compensèrent plus les morts et les départs...

Aujourd'hui, la population permanente se réduit à quelques dizaines de personnes. Et l'on a là belle matière à dénoncer les méfaits de l'exode rural, la faiblesse économique et démographique des zones de moyenne montagne. On n'en finirait pas de faire les comptes : quasi abandon ou non-exploitaion des ressources thermales (Orezza ; E Caldane) ; atteintes non réparées à la châtaigneraie depuis les coupes de bois destiné aux usines de tanin (les sols non-retenus se ravinent ; les sources s'épuisent ; les vents arrivent plus violents sur les villages). La maladie de l'encre infeste les arbres et le maquis qu'on ne surveille plus, toujours plus dense, renforce la menace des incendies. Et les routes, difficiles, cent fois mal refaites, etc.

Et puis l'isolement, le manque de bras. *« S'ellu si riflett' à pienu, si pare d'avè cent'anni...* Ne aghju vistu more à u minimu duiecentu in stu paese quine !... » [15] ; et cela se remarque d'autant plus sûrement qu'on est plus seul et que le renouvellement des générations, ici, s'est mal fait. Et même si, à ce titre, la situation de 1983 paraît un peu moins désastreuse, quelques jeunes couples étant revenus s'installer. On a rouvert l'école et l'unique épicerie du Castel d'Acqua à U Poghju. On peut faire de l'élevage (de porcs surtout) et il y a du travail de maçonnerie dans les résidences secondaires (une vingtaine construites en dix ans). Mais il y a eu bouleversement radical de l'espace traditionnel et de bien des éléments de ce réseau serré de repères qui le balisait, le faisait humain [16]. Les chemins s'effacent sous les fougères et les ronciers ; on ne remplace plus les arbres morts, malades ou frappés de foudre ; les murettes de soutien s'effondrent ; noyers et cerisiers étouffent sous les plantes parasites. Battistu Giovannetti, lorsqu'il part en montagne, reconnaît mal ses anciens lieux de travail les plus familiers.

Perte en nombre des hommes, dégradation profonde du paysage ancien, tout cela se combine, dans un même mouvement, avec la remise en cause, et souvent la disparition, d'un large patrimoine de valeurs et de gestes, de savoirs techniques, pris au sens le plus étendu.

Se pose le problème de sa transmission, qui passe essentiellement par l'usage de la langue corse, assez bien conservée ici, certes mais menacée ; ce dont tout le monde se rend compte (même si c'est pour le vivre très différemment).

Ce recueil même fournit un témoignage sur les détours que peuvent aujourd'hui concéder les détenteurs de la tradition pour assurer la continuité d'une « idéologie », d'une conception particulière de la vie et des rapports humains, de certains usages de la langue (nous sommes là confrontés à une véritable « littérature de formation ») considérés comme essentiels.

A sapienza si porta in sè, ancu à l'orlu di u mondu [17], dit le proverbe. Et c'est bien de cela qu'il s'agit, puisque la majeure partie de la communauté vit désormais hors de l'île ou, sinon, dans les villes et parfois « à la plaine », nouveaux pôles économiques insulaires. En tout cas selon des rythmes, un « temps » bien différents de celui du village. Mais ce que l'on apprend là, enraciné dans son sol et ses gens, dans l'intimité du statut de *paisanu,* et l'épaisseur des généalogies, cela pourra se porter en soi, en son for intérieur, et servira, estime-t-on, à déchiffrer le monde le plus éloigné.

Ce sont là les enseignements d'une société très tendue où l'existence de chacun se déroule sous le regard des autres (ce qui peut la rendre étouffante) mais aussi d'après les liens d'un fort esprit de solidarité. D'après les principes d'une vie rude (dont nous serions tentés de voir un écho dans la formulation, très rugueuse d'aspect, de nombreux proverbes), on érigera en valeur le refus de l'excès *(U troppu stroppia)* [18] et le goût du travail. « *L'omu chì travaglia hè un omu onestu »,* proclame Salvadore Orsini (notre « conteur de Lumitu ») ; *Fà è disfà hè sempre travaglià,* dit-on aussi : « (ma grand-mère) elle me racontait plutôt comment travailler... elle me disait : « il ne faut jamais rester sans rien faire. Quand tu n'as rien à faire, tu prends les chaises en haut et tu les descends en bas. Et de là-bas, tu les montes en haut ! » [19].

Apprendre à agir en ce lieu, y comprendre le temps familial (et ses exigences), pour s'en sentir en quelque façon propriétaire : se consolide ainsi le sentiment d'autochtonie qui a à voir avec l'ordre cosmique. Il stabilise et aide à vivre avec rigueur, pour peu qu'on n'oublie pas qu'on est corse, ainsi que le souligne le déclamatoire et touchant *Vai dirittu, o Corsu, chì Diu t'aghjuterà !* [20].

Marche droit, Corse, et Dieu t'aidera... dans cette vie qu'il faut bien vivre, et sans grandes illusions, « *sin'à sò ch'omu appi a terra nantu à i denti* », « jusqu'à ce que l'on ait la terre sur les dents »...

L'abbé Ambrogio Rossi, lorsqu'il évoque le canton d'Ampugnani nous avertit : « *li paesi sono tutti tra loro cosi analoghi, sia nel fìsico, sia nel morale ; che stimo cosa superflua a descrivergli particolarmente* » [21]. C'est là aller vite en besogne, surtout que, à quelques notations près, cela lui a plus ou moins tenu lieu de description générale.

Pour notre part, nous prendrons à l'inverse le risque de l'excès dans « l'esprit de clocher » mais en tant qu'il aiguise les sens (et cela est universel) à saisir les nuances ténues qui font que, au bout du compte, les lieux ne sont jamais interchangeables.

Relations et recueil

L'ensemble des proverbes proposés ici, parce qu'il est porté par des individus précis, a donc un paysage de référence ; mais il a aussi une histoire, des conditions de recueil particulières qu'il convient désormais de mettre plus précisément au jour. Et dans cette ambition de description, il me faudra bien, pour ma part, abandonner dorénavant le *nous* formel de la mise à distance pour adopter le *je* de l'implication.

I pruverbii sò santi è ghjusti ou *Ci vole cent'anni pè fà un pruverbiu* [22], dit-on souvent pour assurer leur validité, par référence à une parole sainte qu'authentifie le temps. Et F.D. Falcucci remarquait que, en Corse, « *dei proverbi si fa gran conto* » [23].

On a là effectivement la sensation de toucher au vif du savoir traditionnel [24], pour peu que les mécanismes de la transmission fonctionnent correctement, tant il est vrai que « l'évolution des mentalités se fait lentement, et (que) des stratifications s'opèrent qui laissent survivre de lointains souvenirs » [25].

Comme raison première à ce recueil il y avait bien évidemment la fréquentation très habituelle de ces deux dames âgées qui volontiers « *parlavanu pè pruverbii* » (parlaient en proverbes) et la volonté très spontanément affective, parce que je m'entendais bien avec elles, de noter certaines de leurs manières de dire (et si je précise enfin que l'une d'entre elles est ma grand-mère, on comprendra peut-être mieux pourquoi je ne vois d'autre solution que de parler ainsi à la première personne).

Mais cet intérêt se confirmait sans cesse par d'autres rencontres, autour du même thème, et qui me démontraient comment on peut jouer de façon subtile du sens des proverbes, pour mieux définir une expérience ou faire prendre conscience des profondeurs du temps.

Il y eut ainsi, pour l'inciter à poursuivre, par exemple, cette discussion, venue un peu par hasard au cours de l'été 1974, avec un homme sexagénaire originaire de San Gavinu et en vacances là, comme tous les ans. Une formule m'avait surpris : *In mese di Marzu, à chì l'hà i s'affìbii/ A' ch'ùn ne hà si ne vaghi scalzu* [26].

Le commentaire dura plus d'une heure (cet homme, assurément, aimait à parler, mais il fallait bien que le thème l'inspire...). Il me dit à cette occasion, et avec nombre de détails, les souliers de mauvais cuir qui ne résistaient pas tout l'hiver (au mois de mars on se retrouvait donc pieds nus ; et chez certains, à force, une véritable corne plantaire finissait par les rendre presque insensibles au froid, aux épines...). Il me parla des godillots solides qui, au début, faisaient mal mais qui duraient plusieurs années, des souliers dont on voulait qu'ils grincent quand on entrait à l'église, pour que tout le village soit au courant qu'ils étaient neufs.

Plus largement, ce fut ensuite un vaste monologue sur les conditions de la vie ancienne (l'insalubrité, l'entassement à plusieurs par lit, les fièvres...) et, aujourd'hui, le « changement ». D'autres proverbes venaient alors, tout naturellement, ponctuer ses dires, enclancher un nouveau développement (cf. *Loda a piaghja è teniti in muntagna* [27]).

Mais il y eut aussi l'attrait exercé par un curieux personnage des récits traditionnels, terrible de lucidité, sévère mais chaleureux. Salamone, sorti de l'Ancien Testament et acclimaté au paysage corse, est ce sage vers lequel se tournent des hommes jeunes, égarés car depuis trop longtemps éloignés de chez eux. Ils vont lui demander conseil afin de retrouver le chemin du retour, celui de la stabilité.

Sa bonté plutôt bourrue, il la met au service d'un enseignement fondamental qu'il délivre sous forme de « *detti* », d'« énigmes » que la tension à les résoudre de celui qui les reçoit (et les paie) transforme en autant de préceptes (principes de mise en ordre de l'existence individuelle et du rapport aux autres).

*« Un giuvanottu una volta era un disgraziatu
ch'era partutu à circà furtuna pè mandà calcosa
à a so famiglia. Ma un calcosa... S'avia persu
ancu l'addirizzu di a casa. Un' sapia mancu più
u paese induve ellu era. Partia à capaccia. Hè
statu quant'à mè quindici anni o vinti, ma avia
lasciatu un figliolu ch'avia sette o ott'anni.*

*S'avia messu trecentu scudi da parte (face
cum'è trecentu mila franchi à l'epica d'oghje). Si
n'avia da andà. Cum'è Salamone era un omu
intelligente, hè andatu à truvallu :*

*— « O Salamò ! hà dettu, merè, averebbi
bisognu di un cunsigliu »* [28].

Salamone finit par lui en donner trois qu'il
paie de toutes ses économies. Plus d'argent, mais
des règles pour le retour. Le voyage de l'émigré
se transmue en parcours initiatique.

Ces trois conseils ? Les voici expliqués par
F.M. Alfonsi et D. Giovannetti (qui en dévelop-
pent en partie l'implicite) :

— *Strada bella ùn fù ma longa* (La bonne
route n'a jamais été trop longue ; *« Ghjè per
quellu chì vole sempre piglià i scurtatoghji »*...
C'est pour celui qui veut toujours prendre les
raccourcis... en voyage et dans la vie...).

— *A carne chì t'ùn hai da manghjà/ Un' circa
mancu à falla coce* (La viande que tu ne dois pas
manger/ Ne cherche pas à la faire cuire ; *« Ci
vole à sapè cuntentà »*... Il faut savoir se
contenter de ce qu'on a... et donc ne pas se mêler
des affaires qui ne nous concernent pas).

— *Collera di a sera/ Allocala à a matina* (La
colère du soir/ Renvoie-la au matin (suivant) ;
car la colère est un défaut extrême et la nuit
porte conseil).

Muni de ces trois phrases talismans, mais sans

argent désormais (il ignore que Salamone a caché ses écus dans le pain du casse-croûte qu'il lui a préparé...) le héros de cette aventure abandonnera le raccourci où un voyageur de rencontre ira se faire tuer par des brigands... A l'auberge, il ne rallumera pas le feu sous un grand chaudron de ragoût ; bien lui en prend, il aurait été décapité par des aubergistes anthropophages (il aurait fini par bouillir dans la marmite lui aussi)... Au village, après avoir marché longtemps, il retrouve sa maison et aperçoit sa femme qu'il reconnaît bien mais, horreur, elle embrasse un prêtre avec de grandes effusions ! Son réflexe premier est de les massacrer tous deux, mais Salamone avait bien dit... *Collera di a sera*... Alors, à grand-peine, raconte-t-il : « (...) *aghju pigliatu è mi ne sò falatu in carciula incù u sumere. E' aghju durmitu in carciula ; mancu à mio moglia aghju cercu. A matina, collu... Mi era discitatu. Ghjera lu mio figliolu vestutu à prete. Stava à u siminariu in Aiacciu. Ghjera ghjuntu... Surtia abbate ; surtia prete. Guardate ! Ch'averebbi fattu una scimità tamanta à u mondu. Chì tumbava à mio moglia è à mio figliolu !* » [29].

« *I pruverbii sò sant'è ghjusti* », donc. Salapone, « *parlandu di core* » [30], a raison et son enseignement, avec cette absolue caution des Ecritures, par principe, ne se discute pas [21]. Mes informatrices étaient certes moins contraignantes et catégoriques dans leur message mais il est clair qu'elles étaient tout à fait décidées à le « faire passer » lorsqu'elles l'estimaient parfaitement valide.

Et je suis bien convaincu, pour ma part, qu'on ne recueille pas impunément ce type de propos, dans un jeu permanent entre l'accès à un savoir de large ampleur (travail sur la langue et ses contenus) et le resserrement sur des relations très personnalisées.

Il y avait en présence ces deux femmes qui se connaissaient bien et un homme jeune (21 ans en 1974), élevé sur le continent mais dans l'île comme toujours pour un long été.

Il faisait chaud. Grand-mère et voisine passaient de grandes après-midi à bavarder tranquillement près de la maison, à l'ombre ou dans l'entrée.

Je voulais des proverbes. Mais se posait alors un problème élémentaire de méthode : comment constituer le corpus ? Attendre que les personnes que je fréquentais l'énoncent pièce à pièce aurait nécessité une présence trop constante, un temps infini... Et même si « tous les jours il se dit des proverbes anciens et nouveaux » [32], je les aurais vite lassées... Je décidai donc d'un petit dispositif « bricolé » pour motiver le discours, dispositif vite accepté d'ailleurs. M'aidant de l'excellent lexique de *Lingua Corsa* [33], je leur soumettai les proverbes inventoriés, apparus, pour ce qui est du sens, selon l'arbitraire de l'ordre alphabétique; je leur demandai si elles les connaissaient ou non, sous cette forme, avec quelle interprétation, etc. Cela fonctionna comme amorce efficace. Et ensuite, plus que des séries à proprement parler, c'étaient de véritables « grappes », des « réseaux » de proverbes qui affleuraient à leur mémoire, suivant le rythme des associations par le sens et, plus rarement, d'après la structure formelle. Un commentaire, fréquemment, assortissait la formule trouvée, redoublant ou mettant à distance, c'est selon, le propos formalisé de la tradition, souvent bien abrupt.

L'enquête s'est faite en deux temps. L'année suivante, les proverbes déjà recueillis ont été repris, parfois à nouveau commentés. L'effet d'entraînement fonctionnant cette fois-ci à partir du corpus lui-même, la liste s'allongeait, expression conjuguée de leur effort de mémoire et de leur grande patience.

Rassembler des proverbes, en parler fréquemment et longtemps, devenait entre nous une sorte de jeu (au demeurant fort sérieux) en ces débuts ou fins d'étés un peu déserts et très tranquilles. Car sont surtout importants, me semble-t-il, ces jours de juillet et septembre, hors de la plus forte période de présence des citadins, Corses du continent ou de Bastia. Au village il y avait là comme du « temps en plus ». F.M. Alfonsi et D. Giovannetti étaient plus disponibles, et moi aussi, l'un des seuls jeunes à rester là tout un été.

Cela facilitait, pour l'époque actuelle, un rapprochement de générations assez habituel dans la logique ancienne.

Ici, nous ne livrons qu'un peu plus de la moitié de la collecte entière [34]. Les tons en sont variés : amertume et humour acide ; violence bien souvent. On y parle de la difficulté de vivre et se mêlent insolence impie et religiosité... Le ton peut être allègre, sur les sujets les plus graves, ainsi la Mort, car, répétaient F.M. Alfonsi et D. Giovannetti : *« ci hè sempre tempu à andà quallà chì ci si và per sempre ! »* [35]. Venaient règles et principes ou simples constats d'expérience, etc. avec des accents d'une âpreté un peu désabusée et un certain cynisme (les proverbes ont grandement à voir avec la ruse) [36].

Le thème de la vieillesse apparaît souvent ; la vie des femmes âgées est évoquée avec dureté et réalisme. Mais *a Vechja* (et il y avait là assurément effet d'identification de la part des locutrices) est celle qui, au même titre que

Salamone, mais selon des registres différents, énonce des sentences élémentaires [37]. *« U guatru di a mio casa è tantu basta... »* ; tandis que Salamone parle surtout pour l'extérieur, aide à tracer, ordonne les parcours, a Vechja, elle, énonce les lois du plus intime, de l'extrême repli territorial. Elle asseoit les vérités premières, les assigne à leur place, les circonscrit [38].

La logique de cette voix amène donc à fouiller très soigneusement les thèmes de la famille et du mariage (le bon choix d'une épouse), du bon usage de l'argent et ce qui, bien évidemment, lui est associé, la réussite, la reconnaissance sociales.

L'étude du proverbe semblait donc propre à révéler, et de façon plus concentrée qu'en d'autres lieux de la littérature orale, la constellation des valeurs sous-tendant vie psychologique et vie sociale. Il y avait là un discours « fort », indicateur pertinent (pour peu qu'on le décode, le resitue dans ses occasions d'emploi) du système des mentalités.

Hè megliu à tumbà un omu ch'è guastà un usu (Il vaut mieux tuer un homme que gâter un usage). La formule, sévère, ne souffre pas d'ambiguïté. Et c'est une parole sociale fonctionnant sur un tel mode, tendu, excessif, parce que touchant à l'essentiel, qui enveloppe le proverbe, formulation synthétique d'un ordre coutumier ; « petit système quasi fermé, têtu, et dont la fonction est de lutter contre l'usure de la parole » [39].

Il est nourriture, support de la mémoire qui ainsi balise étroitement, organise, en un espace qui se voudrait bien cohérent, la complexité du réseau des relations qu'entretient un individu avec sa société.

Enseignement et stratégie

« L'emploi opportun d'un proverbe topique fait sur l'esprit une impression vive », remarque joliment M. Maloux [40]. C'est que nous sommes en présence d'un code particulier, inséré dans le discours normalement échangé : on l'annonce parfois *(cum'è dice u pruverbiu* [31]), on le signale par un ton différent. Archaïsmes, termes rares [32] donnant une note « d'exotisme » lexical ou grammatical renvoient à des zones de savoir un peu spécifiques, leur confère une autorité qui relève de la « sagesse des anciens » [43]. Mais parfois, au contraire, tout cela joue dans l'extrême simplicité, énonçant sans grand apprêt rhétorique des vérités d'évidence : *Si hà più paura di notte ch'è di ghjornu* ou *A bellezza passa prestu* [44]. La forme en tout cas est concise, ordinairement cadencée, exprimant en peu de mots une vérité morale ou de fait, un trait de la philosophie pratique. Tout cela était pour mes informatrices contenu dans la notion de *pruverbiu* (et très expressément dans celle de *dettu* ou « parole » de sage). Quand F.M. Alfonsi parle de « dicton » (employant le terme français), c'est pour désigner une phrase formulant une vérité d'expérience au moyen d'une langue un peu pauvre. Quoi qu'il en soit, sophistiqué ou pas, il ne s'agit pas du langage de la discussion « courante », « normale », même s'il advient que ça y ressemble parfois. Et puis cela doit être utilisé à bon escient... *« Ci vole à sapè parlà pè pruverbii... »,* il faut savoir parler par proverbes ; cela ne se fait pas n'importe comment.

En effet, ainsi que le note M. de Certeau, les proverbes sont « marqués par des usages » [45] dont la saisie paraît trop souvent négligée au profit d'une pratique systématique du recueilinventaire, simple accumulation. Les proverbes servant à la transmission des modèles culturels, à l'enseignement des normes du comportement social, cela détermine pour une grande part leurs occasions d'emploi.

Dans l'exemple que je fournis, les personnalités en présence, ce décalage net de générations n'ont pas été pour rien dans l'obtention d'un ensemble en forme, bien souvent, de « Manuel de savoir-faire social » à l'usage des jeunes générations (de garçons).

C'est que F.M. Alfonsi et D. Giovannetti trouvaient là une excellente occasion de traiter certains sujets de fond qui les préoccupaient, d'exprimer leur surprise, leur satisfaction, leur inquiétude parfois, devant la façon dont évoluaient certains de leurs proches, et tout ce qui les entourait en général. De nouveaux comportements, de nouvelles habitudes, tout cela pouvait être mesuré à l'aune de l'idéologie traditionnelle la plus catégoriquement formulée (dont certains traits étaient eux-mêmes à réévaluer).

Si les proverbes conseillent la méfiance, la plus extrême circonspection, dans les rapports avec autrui, même le plus intime (*Un' ti fidà mai di a to camisgia* [46]), il faut bien s'ouvrir, s'exposer aux rencontres, et, pour un jeune homme, trouver une épouse :

« *Avà vi cunteraghju a prima volta ch'o mi sò maritatu. Avia diciottu anni. Pensate ! Era giovanu... Paria un piulacone ! Mi facianu crede tuttu, ancu chì u mare era seccu !... Eiu sentia parlà di « maritassi » ! « Maritassi »... Chì ci vulia à parte per andà à circà a donna cun musette furnite !... »* [47]

Le danger premier, en cette circonstance, c'est une femme mal choisie qui déstabiliserait la famille, danger toujours en amorce, puisque :

A donna ne sà un puntu di più ch'è u Diavule [48].

Sur la cire meuble qu'est ce *piulacone,* tout jeune homme, sans expérience, il faut imprimer au mieux la connaissance ou, plus subtilement, les moyens de la maîtriser (les proverbes, à méditer, sont sûrement conçus comme l'un de ces moyens). Ainsi, il ne faut pas mettre en désordre les agencements établis, les marques qui les signifient : *Chì barba ùn hà è barba tocca/ Lecca nantu a bocca !* [49]. A bon entendeur salut ! donc, pour l'interlocuteur d'à peine plus de vingt ans que j'étais à l'époque, barbu ainsi que c'en était la mode.

Réussir dans la vie, bien choisir sa compagne, telles apparaissaient les priorités ; on comprendra donc peut-être de ce fait, l'absence de certaines formules, bien connues pourtant dans l'ordre des thèmes abordés, mais hors-système dans le particulier de notre relation. Qu'avait-on à faire, en effet, en 1974-1975, de constatations dépassées telles que *Grassezza fà bellezza* et *Donna grassa per bella passa* ? Et, s'agissant d'un « démarrage » dans la vie, pour motiver quelqu'un, comment rappeler que : *Ancu l'onori sò castichi* ? [50]

On pourra peut-être s'étonner d'entendre ces femmes prononcer apparemment sans sourciller des formules de mise en garde si négatives contre l'univers féminin. En effet, s'il n'y a pas totale absence de prise de distance vis-à-vis d'affirmations si radicales, il y a malgré tout, sur le fond, accord. Et accord tout particulièrement avec cette notion du danger potentiel que représenterait toute femme. Hésitant, dérouté, maladroit, l'homme en quête d'épouse les amuse (même si, bien sûr, S. Orsini force le trait, caricature) ; et s'il est pris en charge, ce sera pour se voir mieux installé puis conforté dans son rôle de « patron », de « chef de maisonnée ». C'est qu'il faut que se perpétue la logique patrilinéaire qui signifie, pour les uns et les autres, poursuite des schémas anciens de dépendance et de pouvoir ; une répartition complexe des traits d'autorité, des traits de soumission avec comme gagneur ultime le système patriarcal selon lequel se distribuent rôles et places : femmes souvent fortes mais dominées, hommes plutôt peu présents *« ma chì devenu sapè imponesi »,* hommes préférés (ordinairement les fils), etc. A cette conception (trop sèchement décrite) adhèrent mes interlocutrices et c'est sa maintenance qu'elles entendent assurer (ce qui n'empêche pas cependant toute possibilité d'aménagement).

La fonction pédagogique est en de nombreuses occasions confirmée par des commentaires qui renforcent ou assouplissent le discours proverbial, qui aménagent certaines données par trop cyniques, obscures ou vieillies.

Parfois, ils apparaissent aussi « carrés » que les exhortations morales qu'ils complètent (cf. le *« Nunda rimpiazza a sperianza »).* Mais le plus souvent ils viennent là pour raconter un peu les choses, atténuer un impératif, fournir une interprétation. Au présent de l'indicatif, ils pointent bien les faits dans une actualité concrète (cf. nombre de remarques sur les relations parents-enfants [51]).

Très souvent, cependant, tout cela est traité à l'imparfait, ce qui paraît bien normal dès lors qu'on est censé évoquer la société passée. Sont ainsi, très exactement, assignées à leur place des notions, des attitudes désuètes (cf. *« Un' esita-vanu micca à minà i so figlioli »)*. Mais lorsqu'il s'agit de traits dont F.M. Alfonsi et D. Giovannetti sont toujours convaincues de la validité [52], cet imparfait, apparemment « de narration », prend à son tour valeur générale. Ainsi délivrée, une vérité s'impose parce que forte d'une très antique expérience mais de façon plus familière, sur un ton de conversation. Si elle est plus souplement transmise, avec l'air de moins y toucher, c'est qu'était estimé le risque de me voir plus spontanément réagir devant un propos catégorique dit au présent. Il y a là de l'habileté, pour mieux persuader et guider (principalement dans la visée d'une acceptation de l'ordre parental).

Conformiste, très matérialiste dans sa lucidité brusque, le discours proverbial est, par ailleurs, sans grandes nuances, volontiers excessif. Mais ce ton péremptoire est utile [53], ne serait-ce que pour clore une discussion sur un argument d'autorité [54]. Mais dans ce cas-là, comme pour toute autre occasion d'emploi, il faut bien apprendre à jouer de sens souvent multiples, permettant une adaptation à des situations variées. *« Di sti pruverbj, detti e massime, l'uni hanu un sensu propriu, l'altri l'hanu figuratu o sottintesu ; finalmente ci è di quelli chi hanu l'unu e l'altru sensu »*, remarquait A. Mattéi [55] que les difficultés de classement préoccupaient. Ainsi, *Megliu ch'è nunda maritu vechju* pourra être plaisamment utilisé pour parler d'un repas modeste, pris « sur le pouce », mais bien venu [56] ; et par un simple changement de genre, on passera de *Affullatu à unu/ Affullatu à nisunu* donné ici avec un sens plutôt tragique à *Affullatu à una/ Affullatu à manc'una* [57], petit conseil qu'on adresse aux hommes : avoir une seule et unique petite amie, c'est comme n'en avoir pas du tout !

Ceci dit, lorsque G. d'Aronco note, de manière un peu lasse : « *Il proverbio dice sempre la verità, perchè non manca quasi mai il suo opposto* »[58], cela n'est qu'en partie vrai dans la mesure où, dans une situation donnée, tous les proverbes ne viennent pas également en concurrence.

Recueillir des proverbes serait, si l'on en croit le romantique enthousiasme de Niccolò Tommaseo, œuvrer à la constitution d'un inventaire qui, « *dopo la Bibbia, sarebbe tra libri il più gravido di penseri* »[59]. Il est entendu que le discours proverbial représente un moyen privilégié pour communiquer avec ses semblables au travers d'un savoir commun, pour transmettre aux enfants bien des normes indiscutées. Mais ce qui se montre là c'est surtout le discours de la légitimité ; ensemble de conseils pour mener une vie « harmonieuse » selon les principes des alliances licites, satisfaisantes pour l'honneur et la prospérité. Les proverbes se font le reflet d'une obsession de la chute et du faux pas, châtiment des êtres mal dressés (cf. *Figlioli senza riga, Diu li maladica*).

Or, le message ainsi délivré, qui tend à se situer au plan inattaquable des vérités générales, éternelles et renvoie à une image idéalisée de la société, sera à moduler. Et ce par une estimation de la façon dont le vécu de la société intervient dans le système de ces règles considérées comme essentielles. Il est nécessaire de se poser le problème du décalage entre le texte de ces proverbes, les valeurs qu'on y défend, et la réalité effective bien plus foisonnante que, d'une certaine façon, il reproduit mais en la déformant.

Mais pour saisir ce décalage, les fines variations des points de vue particuliers, les valeurs affectives qui colorent les relations (aux autres ; à la force, aux nuances d'un paysage ; dans les péripéties d'une existence individuelle) et tout ce qui fait, conjointement, la richesse, méthodiquement constituée, d'une perception globale de l'univers et de ses rythmes... Pour saisir tout cela, donc, semblent à privilégier pour l'ethnologue les échanges de longue durée et l'immersion dans la vie quotidienne de la société étudiée.

Ceci impose assurément de se prémunir contre une démarche trop inductive et de prendre conscience, autant que faire se peut et à son propre niveau, de la complexité des relations inter-personnelles où jouent les sensibilités (et susceptibilités), les refus, la fascination.

Et quand on est soi-même originaire de ce lieu (du « lieu-à-dire », donc), pratiquant une ethnologie du très proche de soi, on se trouve bien souvent saisi par les effets d'une forte tension, entre séduction et fatigue, un mouvement contradictoire bien difficile à définir (mélange trouble d'où devra émerger malgré tout la parole) entre la volonté de comprendre, d'expliquer pour transmettre à son tour et une obstination à se maintenir isolé dans sa chronologie intime (pour un ressassement perpétuel du lieu de naissance, ce versant de montagne où il y aurait tout).

Recueil puis analyse des données pourraient se diluer dans l'indicible (parce qu'au sens propre indécidable) d'une affectivité où, dans l'interminable questionnement sur ce qu'il est possible d'atteindre, le discours destiné aux autres serait clos.

Voici donc formulée cette grande difficulté, véritable limite de la pratique. Si, dans l'expérience que j'évoque ici, elle a pu être en partie tout au moins dépassée, c'est parce qu'il s'est agi, bien évidemment, d'une marche à plusieurs ; dans une volonté commune de ne pas rompre le fil des générations pour la transmission d'une précieuse information. Ce que je livre ici, c'est une tentative de description de la façon (relativement exemplaire) dont des représentantes d'une génération ancienne ont su s'adapter à une situation un peu particulière, et ce pour échanger malgré tout leur savoir et certaines de leurs convictions. Si cela a pu fonctionner, c'est qu'on y voit l'adaptation d'un type de relation privilégiée traditionnellement bien spécifiée (et opératoire) : celle qui s'établit entre une personne qui, travaillant moins, a le temps d'expliquer (et de montrer) les choses et une autre, beaucoup plus jeune, qui jouit encore de celui d'écouter (et de regarder) avec la plus grande attention (cet échange nécessite la maîtrise d'une certaine lenteur efficace).

En ouverture de ce texte, je citais Battistu Giovannetti et la façon dont, en se décrivant, il nous situait spatialement. Pour terminer, je m'en remettrai encore à lui, poussant plus loin le mouvement.

Sacrifiant un talent reconnu, il avait, semble-t-il, fait, après la mort d'une de ses belles-sœurs, le vœu de ne plus chanter. Pour ma part, il m'accompagna à quelques reprises dans mes enregistrements, expliquant et commentant parfois les chansons que nous venions d'entendre, mais rien de plus. J'en étais un peu triste ; sa femme le savait. Un soir d'été, neveux et nièces montèrent de Bastia dîner chez lui, accompagnés de leur mère, autre sœur fort âgée de Divota.

Heureux de cette présence, à la fin du repas il se prit à improviser. La fête, au bout d'un certain temps se déplaça chez nous. Battistu, tout à son don recouvré, se rappelait de vieilles compositions, évoquait de lointains souvenirs, son service militaire, une traversée en bateau. Puis il composa quelques strophes en l'honneur des uns et des autres qu'il conclut par cette formule :

« *Trà chì simu indu Lu Rossu/ Tutt'inseme femu festa/ Chì (...) s'ella hè per canzone/ Sta volta andemu luntanu (...)/ Passemu lu mondu sanu !* » [60].

Diffusion, puis repli pour fêter l'amitié, chant de l'intimité perpétuée : « Le poète est venu pour rassembler l'espace ! » [61].

Je remercie tous ceux dont j'ai cité le nom, ce travail est le leur : Divota Giovannetti et Francesca Maria Alfonsi, Battistu Giovannetti, Maria Divota Orsoni et Salvadore Orsini.

Je remercie également Georges Ravis-Giordani, Felice et Stefanu Leandri, et Ghjermana de Zerbi qui m'ont aidé par leurs relectures et leurs suggestions.

(Marseille, février 1984.)

NOTES

1. « Si vous ne me connaissez pas/ Je vous donnerai mon prénom et mon nom de famille/ (...) Je suis de Poghju di San Gavinu/ Qu'on trouve entre U Prunu et Scata » ; composé en août 1977 à U Poghju di San Gavinu par Battistu Giovannetti (né en 1908), ancien bûcheron.

2. Divota Giovannetti : née Giovannetti en 1896 à U Poghju, dans une famille d'éleveurs ; n'a pas suivi l'école ; travaille pendant plusieurs années chez des instituteurs de U Poghju Marinacciu ; habite avec eux à Bastia puis épouse en 1934 Battistu Giovannetti, son cousin. Depuis

lors elle a essentiellement vécu au village. Très fine conteuse (récits de revenants et de peur).

Francesca Maria Alfonsi : née Donsimoni en 1902 à Campulu Pianu (com. de U Prunu) où ses parents tenaient un commerce ; après un début d'études secondaires, elle épouse en 1919 un militaire de la Coloniale originaire de U Poghju (et neveu de son parrain) ; dès cette époque et jusqu'en 1943, elle vit beaucoup hors de l'Ile tout en y revenant souvent. A la fin de la guerre, elle se réinstalle au village et y réside jusqu'à la mort de son mari. Aujourd'hui elle a rejoint sa fille à Toulon. Excellente conteuse privilégiant les anecdotes et les fragments d'autobiographie « exemplaires ».

3. Les hameaux que regroupe la commune de San Gavinu d'Ampugnani sont, outre U Poghju, A Casanova, Penta à lu Trave, Nepita et E Caldane.

4. Extrait de la description de la vallée de l'Ampugnani par G. Moracchini-Mazel (p.417 de *Les Eglises Romanes de Corse,* Paris, Klincksieck, 1967, 449 p. (2 vol.).

5. p. 141 (et suiv.) de la *Chronique de Giovanni della Grossa* (in l'*Histoire de la Corse* de l'abbé Letteron, rééd. Laffitte Reprints, Marseille, 1975, 3 tomes).

6. p. 147 de Maistrale (D.A. Versini), *A Corsica paese per paese* (1931).

7. « Ils arrivent avec des tisonniers chauffés au rouge qu'ils plantent dans le nombril, dans le ventre !... » (Salvadore Orsini, sept. 1979, U Poghju).

8. Le *Plan Terrier* nous apprend ainsi que, pour la fin du XVIIIe s. dans ce que l'on nommait alors Poggio di Castel d'Acqua, le territoire de 737 arpents ne comprenait presque que des châtaigniers, soit 690 arpents (p. 177 de A. Albitreccia, *Le Plan Terrier de la Corse au XVIIIe s.,* Paris, P.U.F., 255 p. (+ cartes) ; rééd. Laffitte Reprints, Marseille, 1981).

Il s'agit du San Gavinu actuel qui comptait alors 282 hab. Le *Plan Terrier* signale cinq fontaines dans son domaine et le nom ancien évoque cette richesse. Le nom originel s'est perdu, remplacé par celui de Gavinu, martyrisé en Sardaigne sous Dioclétien.

9. p. 88 de A.A. Parmentier, *Traité de la Châtaigne,* Bastia et Paris, 1780, 160 p.

10. *Id.,* pp. 82-83.

11. On mourait trop souvent de tuberculose ; on souffrait de la malaria contractée sur les bords du fleuve

ou lors de travaux en plaine ; il y avait la brucellose (les fièvres de Malte) qui, non éradiquée, se rencontre encore.

12. A la fin du siècle dernier (1891), on compte pour les quatre communes du Castel d'Acqua 1.052 habitants, soit : U Prunu avec 229 hab. ; San Gavinu, 319 hab. ; Scata, 211 hab. et San Damianu, 221 hab.

13. « Les cerises de l'Ampugnani sont renommées » (p. 196 des *Osservazioni Storiche sopra la Corsica* (libro primo), Bastia, 1909, 355 p. (Publ. par l'abbé Letteron ; cf. n° 303 à 307 du Bulletin de la Société des Sciences historiques et naturelles de la Corse, 1906).

14. Le mouvement est du même ordre pour l'élevage, même si la pratique du troupeau de chèvres gardé par un berger communal, souvenir des vieux usages collectifs des communautés, a survécu à San Gavinu jusqu'en 1957. L'élevage du porc s'est plus ou moins conservé (avec des effectifs assez faibles).

15. « Si on y réfléchit à fond, on croirait avoir cent ans... J'en ai vu mourir au moins deux cents dans ce village-ci !... » (Battistu Giovannetti, U Poghju, 1977).

16. *« I giovani avà ùn cunnoscenu mancu più e so pruprietà... Un' si vedenu mancu più i lìmiti ! »* (les jeunes aujourd'hui ne connaissent même plus leurs propriétés... On ne voient même plus les bornes (des terrains) ; Stefanu Leandri, Bastia, déc. 1983).

17. i.e. *Le savoir se porte en soi, même au bout du monde.*

18. i.e. *Le trop estropie.*

19. i.e. *Faire et défaire, c'est toujours travailler,* témoignage de Maria Divota Orsoni, née Alfonsi, en 1910 à U Poghju (Toulon, mai 1982).

20. Ce proverbe est d'ailleurs mis en exergue à son ouvrage par F. Saravelli-Retali, archiprêtre de Sartène : *La Vie en Corse à travers proverbes et dictons,* Nice, 1977, 186 p.

21. « Les villages, entre eux, sont tellement analogues, tant au physique qu'au moral, que je considère chose superflue de les décrire en particulier » (*Op. cit.,* p. 197).

22. Les proverbes sont leurs propres propagandistes : *Les proverbes sont saints et justes* et *Il faut cent ans pour faire un proverbe.*

23. « On tient les proverbes en grande estime » (p. 283 de ·F.D. Falcucci, *Vocabolario dei dialetti, geografia e*

costumi della Corsica, Cagliari, 1915, XXIII + 473 p. (rééd. chez Arnaldo Forni, 1981).

24. *Id.,* p. 5 ; Falcucci évoque les proverbes (qu'il cite nombreux dans son ouvrage) *« raccolti dalla viva voce del popolo ».*

25. p. 10 de M. Vovelle : *Mourir autrefois - Attitudes collectives devant la mort aux XVIIe et XVIIIe siècles,* Paris, Gallimard-Julliard (Coll. Archives), 1974, 251 p.

26. Au mois de mars, qui en a se les attache/ Et qui n'en a pas s'en aille nu-pieds.

27. Loue la plaine (plus riche) et reste à la montagne (plus salubre).

28. « Il était une fois un malheureux jeune homme parti chercher fortune pour envoyer quelque chose à sa famille. Mais ce quelque chose... Il avait perdu jusqu'à l'adresse de la maison. Il ne savait même plus où était son village. Il partait au hasard. Il est resté au loin, à mon avis, quinze ou vingt ans, mais il avait laissé un fils de sept ou huit ans.

Il s'était mis trois cents écus de côté (ça fait comme trois cent mille francs d'aujourd'hui). Il allait partir. Comme Salamone était un homme intelligent, il est allé le trouver :

— O Salamò ! a-t-il dit, voyez, j'aurais besoin d'un conseil. » (Salvadore Orsini, né en 1920, ancien muletier. Recueillie à U Poghju en mars 1975, il s'agit d'une version du conte-type 910 B selon la classification Aarne-Thompson).

29. « (...) Je m'en suis descendu à l'écurie, avec l'âne. Et j'ai dormi dans l'écurie ; je n'ai même pas cherché ma femme. Le matin, je monte... Je m'étais réveillé. C'était mon fils habillé en prêtre. Il était au séminaire à Aiacciu. Il était arrivé... Il sortait abbé ; il sortait prêtre. Voyez un peu ! J'aurais fait une folie grosse comme le monde. Je tuais ma femme et mon fils ! »

30. i.e. *parlant sincèrement.* Cf. « Au moment de nous quitter, peut-être pour toujours, car je suis bien vieux, je regrette (...) de n'avoir à vous laisser que des conseils. Au moins ces conseils, qui constituent tout votre héritage, sont-ils dignes d'être précieusement observés... » (Michel Zévaco, *Les Pardailhan*).

31. Mais Salamone, dans le Castel d'Acqua, c'est aussi le personnage déterminant d'un récit facétieux, de campanilisme, concernant les *Prunacci* (habitants de U Prunu). On répète ici la quatrain moqueur : *« Trà Tittone è Pizzichinu/ Sò falati in San Pellegrinu/ Falati à piglià lu*

cannone/ Indittatu da Salamone ! » (« Tant Tittone que Pizzichinu/ Ils sont partis à San Pellegrinu/ Partis chercher le canon/ Qu'avait indiqué Salomon ! »

Il fallait une cloche pour l'église de U Prunu ; Salamone, passant par là et apparemment de bon conseil, les expédia, contre espèces sonnantes et trébuchantes, chercher du bronze sur la plage de San Pellegrinu ; Tittone et Pizzichinu dirigeant les opérations. On remua le sable de fond en comble ; pas de canon. Crédules ils s'étaient fait avoir par cet être roublard et qui piège les gens à leur propre sottise.

Les Prunacci d'aujourd'hui n'apprécient toujours pas cette histoire, mais les compositeurs de chansons, en temps d'élections, ne s'affectent pas trop de cette condamnation pour bêtise qui semble remonter à la Bible, au *Livre des Proverbes*. Ils détournent le sobriquet. Car s'ils sont *cannuneri* (canonniers), c'est qu'ils sont parfaits artilleurs, prêts à toutes les guerres !... Et si les autres rient toujours, leurs propres surnoms ridicules sont à disposition pour les insulter à leur tour.

(Cf. aussi Paul Arrighi : *Le Livre des Dictons Corses,* Toulouse, Privat ed., 1976, 122 p. (sur U Prunu et ses cannuneri, voir pp. 73, 94, 101).

32. p. X de M. Maloux, *Dictionnaire des proverbes, sentences et maximes,* Paris, Larousse, 1974 (1re ed. 1960).

33. *Lexique français-corse,* Bastia, Lingua Corsa, 1960-1971, 3 vol.

34. L'autre ensemble concerne la vie en société prise en sens large (par-delà les relations strictement familiales) ; les notions générales du Bien et du Mal ; le Travail ; le système des défauts et qualités et certaines de leurs oppositions terme à terme ; le campanilisme, etc.

35. i.e. « On a toujours le temps d'aller là-bas puisque c'est pour toujours qu'on y va ! »

36. Et F.M. Alfonsi (Toulon, janvier 1984) confirme bien que si on doit leur associer un animal, c'est au renard *(a volpe)* qu'il faut songer.

37. Cette notion de *dettu* est à rapprocher de celle de *sentence* (courte proposition morale « résultant de la manière de voir » ; une vérité générale est attribuée à un personnage qui devient le garant de son exactitude pérenne).

38. C'est bien ce que suggère, dans ce corpus, le *« Abbia casa quant'è tù posi ! »* ou le développement sur le « coin » de la maison.

39. p. 34 de Abdelkhebir Khatibi, *La Blessure du Nom Propre*, Paris, Denoël, 1974, 246 p.

40. *Op. cit.,* p. X.

41. i.e. comme dit le proverbe...

42. ainsi l'emploi du terme méridional *coda* pour désigner la jupe (cf. *Figliola sola t'allisciu a coda*).

43. p. 313 de A.J. Greimas, *Du Sens,* Paris, Seuil, 1970, 313 p.

44. i.e., *On a plus peur la nuit que le jour* et *La beauté passe vite.*

45. p. 64 de M. de Certeau, *L'Invention du Quotidien* (t. I. : *Arts de faire),* Paris, U.G.E. (coll. 10 × 18), 374 p.

46. i.e. *Ne te fie jamais à ta propre chemise.*

47. « Maintenant, je vous raconterai la première fois que je me suis marié. J'avais dix-huit ans. Pensez ! J'étais jeune.... J'étais comme un gros poussin ! On me faisait tout croire, même que la mer était sèche !... Moi, j'entendais parler de « se marier » ! « Se marier » !... Qu'il fallait partir chercher une femme avec des musettes garnies !... » (Salvadore Orsini, mars 1975, U Poghju).

48. i.e. *La femme en sait un point de plus que le Diable.*

49. i.e. *Qui n'a pas de barbe et touche une barbe/ Reçoit (une gifle) sur la bouche.*

50. i.e. *La grosseur fait la beauté ; Une femme grasse pour belle passe ; Les honneurs aussi sont des punitions.*

51. Ce présent-là n'est pas de même nature que celui des proverbes, celui des vérités éternelles (on le dira *gnomique*) ; du même ordre est le passé simple (rare ici) à valeur d'*aoriste* de, par exemple : *U Signore mandò u granu à chì ùn avia saccu.*

52. Cf. par ex. *« Quessa si dicia di calchissia chì spendia assai è si lagnava d'ùn avè soldi. »*

53. Violence donc, que l'on pourra peut-être rapprocher du rire-défoulement qu'appellent, par leur excès même, nombre de proverbes sur le clergé, entre autres.

54. F.M. Alfonsi et D. Giovannetti ont ainsi fait allusion à un usage particulier de la *devise.* Après quelque proverbe, il leur arrivait assez souvent de remarquer : *« Quessa a dicia sempre u tale... »* (cela, un tel le disait tout le temps...). Il arrivait donc que l'on choisisse, dans le patrimoine proverbial commun, une formule emblématique, sorte de résumé de sa propre expérience de

l'existence et des rapports humains, un concentré de sens, très catégorique.

55. p. 3 de A. Mattei, *Proverbes, locutions et maximes de la Corse,* Paris, Maisonneuve et Cie, 1867, XXXI + 180 p. (rééd. chez Arnaldo Forni en 1979 : *Pruverbj, Detti e Massime corse).*

Cette polysémie des proverbes infirme toute tentative de répartition par le sens trop impérative.

56. Campulu Pianu (déc. 83).

57. i.e., Soutenu par une/ Soutenu par aucune.

58. « Le proverbe dit toujours la vérité, car presque jamais ne manque celui qui lui est opposé » (p. 136 de G. d'Aronco, *Letteratura Popolare Italiana,* Bologna, Pàtron ed., 1970, 141 p.).

59. « Après la Bible, (il) serait parmi les livres le plus chargé de pensées » ; p. 362 de Niccolò Tommaseo, *Canti Popolari,* vol. II (Canti Corsi), Venezia, 1841, 400 p. (les *Proverbi Corsi* occupant les pp. 363 à 400).

60. « Puisque nous sommes à Lu Rossu/ Tous ensemble faisons fête/ Car si c'est en chansons/ Cette fois-ci nous allons loin/ Nous dépassons le monde entier ! » (Août 1977, U Poghju).

61. Claude Vigée.

Chapitre I

Ainsi va le monde...

U mondu ghjè un mare di lacrime
Le monde est un océan de larmes

U mondu ghjè un mare di lacrime
Le monde est un océan de larmes

U mondu hè bellu
Basta à sapellu piglià
Le monde est beau
Il suffit de savoir le prendre

Un' si pò mai sapè di sò ch'ellu sarà fattu
dumane
On ne peut jamais savoir de quoi demain sera
fait

Nimu ùn hè cuntentu di a so sorte
Nul n'est content de son sort

Ancu s'è lettu hè malfattu
Ci si dorme bè s'omu hè stanchi
Même si le lit est mal fait
On y dort bien si on est fatigué
« Ci vole à sapè cuntentà »
(Il faut savoir se contenter de son sort ;
nécessité fait loi...)

Un' hè micca festa tutti i ghjorni
Ce n'est pas tous les jours fête

Un' si pò micca fà festa tutti i ghjorni
On ne peut pas festoyer tous les jours

Di canapu o di funa, i « prublemi » sò sempre quì
Câbles ou cordes, les problèmes sont toujours là
canapu : grosse corde de chanvre
funa : corde tressée en poil de chèvre

Un' ci hè pesciu senza lische
Il n'est de poisson sans arêtes

ou encore :
Un' ci hè carne senza osse
Il n'est point de viande sans os

ou encore :
Un' ci hè rosula senza spina
Il n'est de rose sans épines

Un' si pò fà frittata senza rompe l'ove
On ne peut faire d'omelette sans casser des œufs

Ci vole à pruvà pè crede
Il faut tenter pour croire

Et tout logiquement :
A' ch'hà pruvatu crede
Qui a tenté croit

Le Malheur

Sò più e disgrazie ch'è e grazie
Il est plus de malheurs que de moments heureux

Una disgrazia ùn vene mai sola
Un malheur ne vient jamais seul

A' chì fussi induvinu
Un' sarebbe mischinu
Si on était devin
On ne serait pas malheureux

A' ch'hà dannu hà rise
Qui subit un dommage subit aussi les rires
« A ghjente si ridenu di i « malori » di l'astri...
sopr'à tuttu quand'elli ricevenu i colpi...
(Les gens se rient des malheurs des autres...
surtout quand ils reçoivent des coups...)
Plus gravement, cf. *« Chì si ride di u mio dolu*
Quandu u meiu hè vechju, u soiu hè novu »
(Pour qui se rit de mon deuil
Quand le mien sera vieux, le sien sera récent)

A' chì hà i so guai
A' ch'ùn i sà pianghjc i si ride
Ses malheurs
Qui ne sait les pleurer s'en rit
car *« Un' ci vole mai à mustrà e so disgrazie à*
l'astri »
(Il ne faut jamais montrer ses malheurs à
autrui)

I guai di a pignula
Un' i cunnosce ch'è u pignulaghju
Les malheurs du grilloir (à café)
Seul les connaît celui qui le fabrique

ou encore :

I guai di a pignatta
Un' i cunnosce ch'è u cuchjarone
Les malheurs de la marmite
Seule la louche les connaît
« Ognunu cunnosce i so guai, ùn hà bisognu di
mustralli à l'astri... chì ùn ne sò micca
interessati... »

(Chacun connaît ses malheurs, il n'a pas besoin de les montrer aux autres... parce que ça ne les regarde pas)

« Malore » d'unu face onore di l'astru
Le malheur de l'un fait l'honneur de l'autre

Ugnunu pensa à li so guai
Chacun pense à ses malheurs

Le Bonheur
Chance et Malchance

A' l'omu felice li vanu tutte in puppa
A l'homme heureux tout vient en poupe

U biscottu vene à chì hà i denti
Le biscuit vient à qui a des dents
(La fortune vient souvent à ceux qui l'ont déjà)
l'ont déjà)
« I soldi, induve vanu ? Induve ellu ci n'hé di più !... »
(L'argent où va-t-il ? Là où il y en a le plus !...)

A furtuna vene durmendu
La chance vient pendant le sommeil
ou encore :
A' quelli ch'hanu da avè a furtuna
Li vene ancu durmendu
A ceux qui doivent avoir de la chance
Elle leur vient même quand ils dorment
(Le terme de *furtuna* vaut pour « chance », au sens large, et pour « fortune » financière)

Quandu facciu eiu i cappelli
Nascenu l'omi scapati
Quand je fabrique des chapeaux

Les hommes naissent sans tête
(De celui qui n'a pas de chance...)

L'Incertitude

Sò ch'ùn accade in cent' anni
Accade in un' ora
Ce qui n'arrive pas en cent ans
Survient en une heure

Fin tantu ch'ellu si vive, ùn si pò dì :
« Funtana ùn biveraghju più di la to acqua ! »
Tant qu'on vit, on ne peut dire : « Fontaine, je
ne boirai plus de ton eau ! »

L'Age
Beauté et Laideur

A' i vechji sdentati li cola la bavacciula
Aux vieillards édentés leur coule la bave

Hè passatu u tempu ch'è Berta filava
Oghje hè vechja, li scappa la bava
Il est passé le temps où Berthe filait
Aujourd'hui elle est vieille, la bave lui échappe
« Quessa si dice pè e vechje ch'ùn ponu più fà
nunda »
(Cela se dit pour les vieilles qui ne peuvent
plus rien faire)

I penseri invechjanu prestu à chì i porta
Les soucis vieillissent vite qui les supporte

Cavallu vechju ùn pò mutà andatura
Quandu la muta pocu la dura
Un vieux cheval ne peut changer d'allure

S'il en change il la garde peu
« *Infatti, si ne more...* »
(En fait, il meurt...)

Quandu u cane hè vechju
A volpe li piscia addossu
Quand le chien est vieux
Le renard lui pisse dessus

A forza ghjunghje incù a giuventù
E' si ne và cun l'anni
La force vient avec la jeunesse
Et s'en va avec les années

Ch'invechjisce mattisce
Qui vieillit devient fou

A botte vechja fà bon vinu
Vieux tonneau fait bon vin

Quandu u zitellu parla
U grande hà parlatu
Quand le jeune parle
C'est que le grand a parlé

Chì ùn hè forte in giuventù
Un' la sarà mà più
Qui n'est pas fort dans sa jeunesse
Ne le sera jamais plus

A bellezza passa prestu
La beauté passe vite

E bellezze sò quattru anni
E' poi dopu son' angosce è affanni
Les beautés durent quatre ans
Puis sont angoisses et transes

A' chì hè goffu di natura
Un' ci vale lavatura
A celui qui est laid de nature
Il ne sert à rien de se laver

Giuventù ! Giuventù !
Una volta è pò nun più !
Jeunesse ! Jeunesse !
Une fois et jamais plus !

Hè megliu à falla in giuventù
Dopu si hè vechju è ùn si pò più
Il vaut mieux faire les choses dans sa jeunesse
Après on est vieux et on ne le peut plus

Indu e pignatte vechje si face a bona suppa
Dans les vieilles marmites on fait la bonne
soupe
« *Nunda rimpiazza a sperienza* »
(Rien ne remplace l'expérience)

Ci vole à vestesi secondu a s' età
Il faut s'habiller selon son âge

U vechju vale u novu
Le vieux vaut le neuf
« *Un vestitu vechju, s'omu ci face attenzione*
dura di più ch'è unu novu s'omu u lascia
corre »
(Une vieille robe à laquelle on fait attention
dure plus qu'une neuve dont on ne prend pas
soin)

S'omu vole ch'ella duri
Un' ci vole micca à fà più ch'è e so forze
Si on veut que ça dure
Il ne faut pas aller au-delà de ses forces

Chì si risparmia da giovanu
Si trova da vechju
Qui s'épargne jeune
En âge le retrouve

Dura più u vechju ch'è u novu
L'ancien dure plus que le neuf

Chì barba ùn hà è barba tocca
Lecca nantu a bocca
Qui est imberbe et touche une barbe
Reçoit (une gifle) sur la bouche
*« Indu i tempi ghjeranu i vechji chì purtavanu
a barba »*
(Dans les temps c'était les vieux qui portaient
la barbe)

La Vie et la Mort

Più si campa
Più si ne vede
Plus on vit
Plus on en voit

Guarda sò ch'o sò
Micca sò ch'o ghjera
Regarde ce que je suis
Et pas ce que j'étais
*« Hè detta da quelli ch'hanu cambiatu di
situazione... chì eranu poveri è dopu sò venuti
ricchi »*
(Dit par ceux qui ont changé de situation... parce
qu'ils étaient pauvres et après sont devenus
riches)

Nimu ùn pò risponde di esseci dumane
Nul ne peut affirmer qu'il sera là demain

A casa a più sicura hè a cascia
La maison la plus sûre, c'est le cercueil

Tuttu natu deve more
Tout ce qui est né doit mourir

Sai induve tù nasci
Ma micca induve tù ai da more
Tu sais où tu nais
Mais pas où tu mourras
« Un' si sà sò chì l'avvenire riserva »
(on ne sait pas ce que l'avenir réserve)

Finu à a morte camperemu
Jusqu'à la mort nous vivrons

U sonnu hè cumpagnu di a morte
Le sommeil est compagnon de la mort

Sin'à ch'è nun hè l'ora
Nè si nasce nè si more
Tant que ce n'est pas l'heure
Ni on naît ni on meurt
« Ghjè u destinu chì decide tuttu »
(C'est le destin qui décide de tout)

Quandu a pera hè matura
Si ne casca
Quand la poire est mûre
Elle tombe
« Hè per calchissia ch'hà da more »
(C'est pour quelqu'un qui va mourir)

Chì và forte
Và à la morte

Qui va fort
Va à la mort
« *Quellu chì ne face troppu si schienta* »
(Celui qui en fait trop s'éreinte)

Hè megliu à more
Ch'è vive incù a vergogna
Mieux vaut mourir
Que vivre dans la honte

ou encore :

Hé megliu à more
Ch'è esse à e rise
Mieux vaut mourir
Qu'être la risée d'autrui

U mortu allarga u vivu
Le mort fait de la place au vivant

A' chì more
Terra addossu
Qui meurt
La terre est sur lui

Abbia paura di i vivi
Chì i morti ùn tornanu più
Aie peur des vivants
Car les morts ne reviennent plus
cf. « (...) je n'ai jamais entendu dire que les morts
eussent fait en six mille ans autant de mal que les
vivants en font en un jour. Rentrez donc,
Monsieur Bertuccio, et allez dormir en paix. » (in
A. Dumas, *Le Comte de Monte Cristo)*

A' chì campa, campa
A' chì more, more
Qui vit est vivant
Qui meurt est mort

I morti incù i morti
I vivi incù i vivi
Les morts avec les morts
Les vivants avec les vivants
« Si dicia quessa per quelli chì pienghjianu
sempre i morti, per ch'elli si ne scurdassinu »
(On disait ça pour ceux qui pleuraient toujours
les morts, pour qu'ils les oublient)

I morti incù i morti
E' i vivi incù e frittelle
Les morts avec les morts
Et les vivants avec les beignets
(Vivant et mangeant des beignets, on est donc
à la fête. Une autre version donne : *« è i vivi*
incù a pulenda » (« et les vivants avec la
pulenda »/ bouillie épaisse de farine de
châtaigne, plat très commun), ce qui suggère
qu'en fait le grand avantage des vivants est
qu'ils peuvent faire les choses les plus
quotidiennes. Cela se retrouve dans les *vucerati*
où l'on interpelle les morts pour les inviter aux
activités les plus simples (prendre un café, faire
une courte promenade, etc.). On pointe là très
justement que c'est au jour le jour que la
douleur de l'absence s'éprouve)

A' more ci hè sempre tempu
Pour mourir on est toujours à temps

Chapitre II

Dieu et Diable

In un' ora Diu lavora
En une heure Dieu fait son travail

In un' ora Diu lavora
En une heure Dieu fait son travail
« Si vulia dì ch'in pocu tempu tuttu pò
cambià... si pò more »
(On voulait dire qu'en un rien de temps tout
peut changer... on peut mourir)

A' chì ùn teme à Diu
Un' teme à nisunu
Qui ne craint Dieu
Ne craint personne

Core cuntentu Diu l'aghjuta
A cœur content Dieu vient en aide

Chì peccò è chì s'amenda
Cun Diu regna
Qui a péché et qui s'amende
Règne avec Dieu

Vai dirittu, o Corsu, chì Diu t'aghjuterà !
Marche droit, Corse, et Dieu t'aidera !

Ancu Ghjesucristu si fece a barba avanti à
l'apostuli
Jésus-Christ lui-même se fit la barbe avant les
apôtres
« Prima ci vole à pensà à sè »
(on doit d'abord penser à soi)

Quandu U Signore ùn vole
I santi ùn ponu fà nunda
Quand le Seigneur refuse
Les saints ne peuvent rien faire

U signore mandò u granu à ch'ùn avia saccu
Le Seigneur envoya le grain à qui n'avait pas
de sac
« U mondu hè mal fattu »
(Le monde est mal fait)

U Signore face u freddu secondu i panni
Le Seigneur fait le froid selon les vêtements
« Certi, malgradu male vestuti è esposti à u
freddu, ùn sò micca più malati ch'è d'astri
megliu esposti... S'abitueghja omu... »
(Certains, même mal vêtus et exposés au froid,
ne sont pas plus malades que d'autres mieux
lotis... On s'habitue...)

Adamu è Eva manghjonu a mela cum'è a
manghjanu l'omu è la donna
Adam et Eve mangèrent la pomme comme la
mangent l'homme et la femme

Dice u Diavule : « Quandu Pasqua cascherà
di Maghju
Tandu mi sçatineraghju ! »
Le Diable dit : « Quand Pâques tombera en
mai
Alors je me déchaînerai ! »

U Diavule a face fà
E' pò dopu a palesa
Le Diable vous le fait faire
Et après vous dénonce

Un diavule caccia l'astru
Un diable chasse l'autre
« *Quessa vole dì chì, indu a vita, ci hè sempre una disgrazia più grande chi caccia l'astra* »
(Ça veut dire qu'il y a toujours, dans la vie, un ennui plus fort qui chasse l'autre)

Un' ci vole micca à fassi croce prima di vede u Diavule
Il ne faut pas se signer avant de voir le Diable
« *Vulia dì ch'ùn ci vole micca à fassi un mondu di certe cose* »
(Ça voulait dire qu'il ne faut pas se faire un monde de certaines choses ; il ne faut pas s'inquiéter inutilement)

Le Clergé

Si sbaglia ancu u prete à l'altare
Même le prêtre se trompe à l'autel

Sempre cusì
Male di preti
Toujours ainsi
Mal des prêtres

ou encore :
Sempre cusì
E' i preti ùn conteranu
Toujours ainsi
Et les prêtres ne compteront pas
« *Quessa si dicia di calchissia chì si purtava bè...* »
(Cela se disait de quelqu'un de bien portant... ; il n'arrangeait pas les affaires des prêtres qui perdaient l'argent d'un enterrement !)

A pazienza a portanu i frati
La patience, ce sont les moines qui la portent
*« A calchissia chì s'inzergava, si dicia « Abbia
a pazienza cum'è i frati », è ellu rispundia
quessa »*
(A quelqu'un qui s'énervait, on disait : « Aie
patience comme les moines », et lui il
répondait ça)

In cumpagnia piglia moglia ancu u prete
En compagnie même le prêtre se marie
*« Si dicia di calchissia chì s'era lasciatu
« intranà », pè scusallu »*
(Ça se disait de quelqu'un qui s'était laissé
entraîné, pour l'excuser)

A Speranza

(i.e. l'espoir ; ou bien l'espérance, vertu
cardinale plutôt maltraitée)

**Sperà si pò di sicuru
Ma nimu ùn a pò dì**
Espérer est toujours possible
Mais on ne peut rien dire de sûr

A speranza, prima chì nasce, ultima chì more
L'espoir, premier à naître, dernier à mourir

**Chì campa sperandu
More cacandu**
Qui vit en espérant
Meurt en chiant
« Un' ci vole micca à vive sperandu »
(Il ne faut pas vivre d'espoir)

L'Abstinence

Ci hè sempre tempu à fà Quaresima
On a toujours le temps de faire Carême
« *A Quaresima, a ghjente, avanti po, a
facianu... Custì, vole dì chì ci hè sempre tempu
di privassi* »
(« Carême, les gens, avant, le faisaient... Là, ça
veut dire qu'on a toujours le temps de se
priver »)

A' chì troppu ride u venneri
Pienghjerà a dumenica
Qui rit (trop) le vendredi
Dimanche pleurera

Superstition

L'oliu ghjittatu hè segnu di disgrazia
L'huile renversée est signe de malheur
ou encore :
L'oliu ghjittatu hè segnu di disgrazia
Ma u vinu ghjè alegria
L'huile renversée est mauvais signe
Mais le vin annonce l'allégresse

**A' dighjugnu, i cattivi sogni ùn si contanu
micca**
A jeun, on ne raconte pas les mauvais rêves

Pensatela male per ch'ella accadi bè
Pensez-y en mal pour que cela se produise en
bien

Chapitre III

La Famille
La Parenté

L'acqua corre è u sangue ghjaccia
L'eau court et le sang se fige

L'acqua corre è u sangue ghjaccia
L'eau court et le sang se fige
« *S'ell' hè ghjuntu calcosa à unu di a famiglia,*
malgradu tè, l'emuzione ti guadagna... u
sangue ghjaccia s'omu riscontra un nimicu... In
una nimicizia, quand'ella tocca un parente...
s'omu ghjè scuntenti, ùn si lascia micca corre »
(S'il est arrivé quelque chose à un proche,
malgré toi, l'émotion te gagne... le sang se fige
quand on rencontre un ennemi... dans une
inimitié, quand cela touche un parent... si on
est mécontent, on ne laisse pas courir)

U sangue ùn si vende micca à baiocche
sunanti
Le sang ne se vend pas contre espèces
sonnantes

Cazzu fà parenti è spada fà nemici
La verge fait des parents et l'épée des ennemis

Prima à i toi è à l'astri s'è tù poi
D'abord aux tiens et aux autres si tu peux

A' a morte è à l'amicizia si cunnosce a
parentia
A la mort et à l'amitié se reconnaît la parenté

In l'occasioni si cunnoscenu i parenti
(C'est) dans les occasions que se reconnaissent
les parents

I so panni brutti si lavanu in famiglia
Le linge sale se lave en famille

A' chì lampa i so stracci in piazza
Ognunu ricoglie i soi
A jeter ses chiffons sur la place
Chacun récupère les siens
*« Davanti à e disgrazie di l'astri, si preferisce e
soie... »*
(Devant les malheurs des autres, on finit par
préférer les siens...)

A' chì ùn ricunnosce i so parenti quand'elle
ùn ne hà micca bisognu
Pocu tene à lu so sangue
Qui ne connaît pas ses parents quand il n'en a
pas besoin
Ne tient pas beaucoup à son sang

Un' guardà quant' o ti vengu
Fideghja quant'o ti tengu
Ne considère pas notre degré de parenté
Mais plutôt combien je t'aime

Un' guardà cum'è tù mi veni
Guarda cum'è tù mi faci
Ne considère pas notre degré de parenté
Mais plutôt la façon dont tu te comportes avec
moi

Dimmi quant'è tù mi teni è micca quant'è tù
mi veni
Dis-moi combien tu m'aimes plutôt que le
degré de notre parenté

I più parenti sò quelli chì facenu u bè
Les plus proches parent sont ceux qui font le
bien

Ognunu pienghje i so ochji
Chacun pleure ses yeux
« Ognunu pienghje i soi »
(Chacun pleure ses proches)

Ogni morte vole scusa
Toute mort veut une excuse
*« Toute mort laisse un regret... o s'avia fattu
quessa... o s'avia fattu cusì !... »*

A' chì ti tene caru ti face pienghje
A' chì ùn ti tene caru ti face ride
Qui t'aime te fait pleurer
Qui ne t'aime pas te fait rire

**Un' si hè micca ghjelosu di quelli ch'ùn si
tene cari**
On n'est pas jaloux de ceux qu'on n'aime pas

U medicu pietosu rende a piaga puzzulante
Le médecin compatissant fais s'infecter la plaie
« Perch' ellu esiteghja à fà male »
(Parce qu'il hésite à faire mal)

In ogni lettu ci hè puci
Tout lit contient des puces
« In tutte e famiglie ci sò e discorde... »
(« Dans toutes les familles il y a des
désunions... »)

Tagliami capu è pedi
Ma lampani induve i mei
Coupe-moi la tête et les pieds
Mais jette-moi chez les miens

Corciu à chì hè solu
Malheureux le solitaire

ou encore :

Corciu à chì hà ghjente
Malheureux celui qui n'a personne

Disgraziatu quellu ch'ùn hà à nimu pè pienghjelu
Malheureux celui qui n'a personne pour le pleurer

La Maison,
point d'ancrage essentiel,
lieu du secret familial

« U guatru di a mio casa è tantu basta », dice a Vechja
« Le coin de ma maison et ça suffit », dit la Vieille.
(Il s'agit en fait d'un coin non mitoyen
« In paese ci era un vechju ch'avia duie case è dicia chì preferia a più chjuca... dicia : « hà quattru guatri, a mi possu ingrandà cum'è vogliu »... Prima, e vechje dicianu : « tantu più vale un picculu scornu di a mio casa chì un palazzu induve l'astri ! »
Au village, il y avait un vieux qui possédait deux maisons et il disait qu'il préférait la plus petite... il disait : « elle a ses quatre coins libres, je peux l'agrandir comme je veux »... Avant, les vieilles disaient : « un petit coin de ma maison vaut mieux qu'un palais chez les autres ! »)

Ogni acellu in fondu di u so nidu
Chaque oiseau au fond de son nid

In casa soia, ancu u cecu sà induve ellu mette
e so mani
Dans sa maison, même l'aveugle sait où il pose
les mains

Ogni cane hè bonu à u so usciu
Chaque chien est bon à sa porte
« *In casa soia, si sà fà i s'affari* »
(Chez soi, on sait faire ses affaires)

Spazza a piazza è u portacu chì, s'ellu
ghjunghje calchissia, ch'ellu pensi ch'è ghjè
pulitu dapertuttu
Balaie la place et l'entrée pour que, si
quelqu'un vient, il pense que tout le reste est
propre
u portacu : l'entrée ; dallée de larges pierres
plates qu'il fallait soulever pour passer le balai
de bruyère.

Hè megliu vergogna à piatta
Ch'è vergogna à mustrà
Vergogne à cacher
Vaut mieux que vergogne à montrer

Aghju manghjatu pane è pernice
affari di casa ùn si ne dice
J'ai mangé du pain et de la perdrix
Les affaires de la maison ne se racontent pas
« *Dice ch'ellu hà manghjatu pane è pernice,*
ma quessa ùn hè sicura per nunda »
(Il dit qu'il a mangé du pain et de la perdrix,
mais ce n'est pas sûr du tout)

I fatti di casa ùn si dicenu fora
Les affaires de la maison ne se racontent pas
au dehors

Disgraziati quelli chì devenu fà sapè tutti i s'affari
Malheureux les gens contraints de faire savoir toutes leurs affaires

In casa à pianu
Ci entre ogni villanu
(ou encore : **ogni furdanu**)
Dans une maison en rez-de-chaussée entre toute canaille
« Avanti, e case eranu sempre aperte... ùn ci era micca bisognu di pichjà... chì e porte ùn eranu mai chjose... »
(Avant, les maisons étaient toujours ouvertes... il n'était pas nécessaire de taper parce que les portes n'étaient jamais fermées)

Quandu a manu ùn a prende
A casa a rende
Quand il n'y a pas de main pour la prendre
La maison la rend (la chose qui a disparu)
« Quessa si dicia pè calcosa ch'ùn si ritruvava più... s'ella ùn era micca stata arrubata »
(On disait ça pour quelque chose qu'on ne retrouvait plus... si elle n'avait pas été volée)

Chì in duie case stà
In una piove
Quand on vit dans deux maisons à la fois
Il pleut dans l'une

Chì hè in casa quandu piove
Hè scemu quandu si move
Qui est chez lui lorsqu'il pleut
Est bien fou d'en bouger
« Quellu chì ghjè bè in casa soia hè scemu s'ellu si ne và »
(Celui qui est bien chez lui est fou de s'en aller)

Chì vole stà
Un' esci da a so casa
Qui veut rester chez lui
Ne sorte pas de sa maison
« *Quellu chì vole stà induve ellu ùn hà bisognu*
à andassine ; ci vole à sapè sò ch'omu vole »
(Qui veut rester chez lui n'a pas besoin de s'en
aller ; il faut savoir ce que l'on veut)

Casa fatta è vigna posta
Un' guardà quantu ti costa
Maison construite et vigne plantée
Ne regarde pas à leur prix
« *Sò duie cose chì rivenenu caru... s'è tù trovi*
a vigna posta è a casa fatta, hè megliu à
cumpralle... »
(Ce sont deux choses qui reviennent cher... si
tu trouves l'une plantée, l'autre déjà construite,
il vaut mieux les acheter...)

A chjave d'oru apre tutte e porte
La clef d'or ouvre toutes les portes

Le Maître de maison

Una casa senza patrone
Pare un focu senza tizzone
Une maison sans maître
Est comme un feu sans bûche

Induve canta u gallu
Un' canta a gallina
Là où chante le coq
Ne chante pas la poule

A casa ghjè mischina induve ùn canta u gallu
E' canta a gallina

Malheureuse maison où ne chante pas le coq
Mais chante la poule
« *Quandu e galline cantanu, porta a*
disgrazia... »
(Quand les poules chantent, ça porte
malheur...)

L'ochju di u patrone guverna u cavallu
L'œil du maître dirige le cheval
« *Quand'omu hà un' intrapresa, per ch'ella*
funziuneghji bè, ci vulerebbe chì u patrone si
ne occupi da per ellu »
(Lorsqu'on a une entreprise, pour qu'elle
fonctionne bien, il faudrait que le patron s'en
occupe lui-même)

Quandu tuttu u mondu cumanda, l'affari
vanu male
Quand tout le monde commande, les affaires
vont mal

Quandu ùn ci hè gattu in casa, i topi ballanu
Quand il n'y a pas de chat à la maison, les rats
dansent

In casa l'omu ne pò purtà
Sì a donna ùn a sà fà
A la maison l'homme peut bien en apporter
(des biens)
Si la femme ne sait pas s'y prendre
« *Un' vale micca a pena ch'ellu ne porti s'è... a*
donna ùn a sà fà »
(Ça ne vaut pas la peine qu'il en apporte si...
sa femme ne sait pas s'y prendre)
Cela rappelle : *Ellu e ghjunghje à vangate*
Ma ella e spulla à palate
(i.e. Lui les apporte à pleines pelletées
Mais elle en gaspille tout autant)

Chì ùn ne ghjunghje in casa
Mancu ùn ci ne trova
Qui n'apporte rien à la maison
N'y trouve rien

Bisogna à rispettà u cane pè u patrone
Il faut respecter le chien par égard pour son
maître

Induve nisunu difende
Ogni manu cerca à prende
Là où personne ne défend
Chaque main cherche à prendre

Désorganisation

Ghjè un gattivu cantà quandu i strumenti ùn
sò micca d'accordu
C'est un bien mauvais chant quand les
instruments ne sont pas accordés

E famiglie induve ellu ci hè a guerra
Ghjunghje prestu a miseria
Dans les familles où il y a la guerre
Survient vite la misère

Una donna fà i s' affari, duie hè cusì cusì,
trè ghjè a « dibandata »
Une femme fais ses affaires, deux (ensemble)
c'est plus ou moins ça, trois c'est la
débandade

S'ellu ci hè trè pignatte à u focu, hè festa
S'ellu ci hè trè donne in casa, ghjè gran'
timpesta
S'il y a trois marmites au feu, c'est fête

S'il y a trois femmes à la maison, c'est grande
tempête

Più pecure
Più mocci
A plus de brebis
Plus de morve
« *In una casa, s'ellu ci hè troppu donne, o*
astra ghjente, in generale... u travagliu hè
malfattu è ghjè a « pagaglia ». Una aspetta
l'astra è cusì ùn si face nunda »
(Dans un maison, s'il y a trop de femmes, ou
d'autres gens, en général... le travail est mal
fait et c'est la pagaille... Une attend l'autre et
comme ça on ne fait rien)
Cependant :
A direzzione di a casa
A piglia chì hà più ghjudiziu
La direction de la maison
C'est le plus sensé qui la prend

Parents et Enfants,
Tenir une maisonnée

Un babbu pò mantene centu figlioli
Centu figlioli ùn ponu mantene un babbu
Un père peut entretenir une centaine
d'enfants
Une centaine d'enfants ne peuvent entretenir
un père

Chjamu babbu à chì mi dà pane
J'appelle père qui me donne du pain

L'amore vene da l'utule
L'amour naît de l'utile

« *I figlioli chì sò ricolti à l'assistenza publica...
s'attaccanu à i parenti chì l'hanu aduttati è
chì i mantenenu* »
(Les enfants recueillis à l'assistance... ils
s'attachent aux parents qui les ont adoptés et
qui les nourrissent)

Mortu babbu
Patrone io
Mon père mort
C'est moi le patron

Un' tuccà babbu ch'appi figlioli
Ne touche pas un père qui ait des enfants
Autre version avec « *ùn tumbà...* » (i.e. ne tue
pas...)
« *Perch' ostrimenti i figlioli si rivoltanu contru
à tè...* »
(Parce qu'autrement les enfants (si ça leur est
possible) se retournent contre toi...)

**Pè dì « Mamma » s'impiccianu e labbre duie
volte**
Pour dire « Maman », les lèvres se rejoignent
deux fois

Un' si renderà mai sò ch' una mamma face
On ne rendra jamais ce qu'une mère fait

A' l'ochji di e mamma tutti i figlioli sò belli
Aux yeux de leurs mères tous les enfants sont
beaux

ou encore :
**A' l'ochji di e mamme i so figlioli sò i più
belli di tutti**
Aux yeux des mères leurs enfants sont les
plus beaux de tous

A' chì ti tene più ch'è mamma t'inganna
Qui t'aime plus que ta mère te trompe

Ci vole à allevalli à lu pettu per avelli à lu capu
Il faut les nourrir au sein pour les avoir à la tête
(Il s'agit de la tête du lit, quand on meurt)

Mamma, i nostri guai ùn finisceranu mai !
Maman, nos malheurs n'auront jamais de fin !

O Mà, li nostri guai sò lasagne è tagliarini ; è quandu nimu ci vede sò brilluli è pisticcine !
Mère, nos malheurs sont *lasagne* et *tagliarini* ; et quand personne ne nous voit *brilluli* et *pisticcine* !
lasagne et *tagliarini* : pâtes fraîches fort bien assaisonnées ;
brilluli et *pisticcine* : bouillies légères et galettes de farine de châtaigne.

S'assumiglia à a mamma è tantu basta !
Elle ressemble à sa mère et voilà tout !
« *Ghjera una spressione pè spiegà i difetti di una figliola scapricciata o sgalapata... »*
(C'était une expression pour expliquer les défauts d'une fille, légère ou maladroite...)

Matrigna, pane mi mostra è denti mi sgrigna !
Marâtre, qui me montre le pain, et les dents !

Bona furtuna è figlioli maschi
Bonne fortune et enfants mâles

Diu vi dia bona furtuna
Sette maschi è femmina una
Que Dieu vous donne fortune
Sept garçons et une fille
(C'est là une formule de souhait à de jeunes
époux)

Chì vole una bella famiglia
Principii per una figlia
Qui veut une belle famille
Commence par une fille
« *Cusì pudia aghjutà a so mamma à allevà*
l'astri figlioli... Hè sò ch'omu dicia... »
(Comme ça elle pouvait aider sa mère à
élever les autres enfants... C'est ce qu'on
disait)

Per allevà e famiglie, ci vole forza di ghjente
è forza di roba
Pour élever les familles, il est bon d'avoir
force de gens et force de biens

Induve ci hè più ghjente
Ci hè più roba
Abondance de gens
Abondance de biens

Hè megliu ghjente ch'è roba
Il vaut mieux du monde que des biens

A' a vostra famiglia
Date pane è riga
A votre famille
Donnez pain et discipline
« *Un' esitavanu micca à minà i figlioli* »
(Les gens n'hésitaient pas à frapper leurs
enfants)

A riga ùn hè mai di troppu
La férule n'est jamais de trop

Figlioli senza riga
Diu li maladica
Enfants non corrigés
Que Dieu les maudisse

I parenti sò i denti
Les parents sont les dents
« Ti devi sbruglià da per tè à truvà a to
nutritura è micca andà à circà i parenti »
(Tu dois te débrouiller par toi-même pour
trouver à manger et non pas aller chercher
tes parents)

Chì di gallina nasce in terra ruspa
Qui est né d'une poule gratte le sol
« Un' si pò micca rinnigà a so nascita »
(On ne peut pas renier ses origines)

Di gattivu calzu ùn ne piglià magliolu
Male u babbu, peghju u figliolu
D'un mauvais cep ne prend pas de bouture
Mauvais le père et pire le fils
« Scegli bè a ghjente cun quale t'ai da fà »
(Choisis bien les gens avec qui tu as affaire)

I figlioli sò a gioia di a casa
Les enfants sont la joie de la maison

U zitellu settinu campa megliu ch'è l'ottinu
L'enfant né à sept mois survit mieux que
celui né à huit

Natu l'agnellu
Natu a pascura
Né l'agneau

Née la pâture
« *Quand'omu hà un figliolu, ci vole à*
sbrugliassi pè dalli à manghjà »
(Lorsqu'on a un enfant, il faut se débrouiller
pour lui donner à manger)

I catelli è i zitelli si devenu allattà
Les chiots et les enfants doivent être allaités

Un' cuntà d'avè figlioli sin' à ch'elli ùn hanu
avutu russettu è vaghjolu
Ne considère pas avoir eu d'enfants tant qu'il
n'auront pas eu la rougeole et la variole

Figlioli chjuchi, penseri chjuchi
Figlioli grandi, penseri grandi
Petits enfants, petits soucis
Grands enfants, grands soucis

I vezzi, male à dalli, peghju à toglieli
Les habitudes de gâteries, mauvaises à
donner, pires à ôter

Affullatu à unu
Affullatu à nisunu
Soutenu par un seul
Soutenu par personne
« *Quand' omu ùn hà ch'un figlioli, s'omu u*
perde... »
(Quand on n'a qu'un fils, si on le perd...)

A' chì ùn ne hà da chjuchi
Un' ne hà mancu da grandi
Qui n'en a pas de petits
N'en a pas même de grands
« *Quessa si dicia di quelli ch'ùn avianu*
figlioli... s'è ùn ne hanu chjuchi ùn ponu
sperà d'avenne grandi »

(Cela se disait de ceux qui n'avaient pas
d'enfants... s'ils n'en ont pas de petits ils ne
peuvent s'attendre à en avoir de grands)

ou encore :

Megliu morti ch'è storti
Mieux vaut qu'ils soient morts que
malhonnêtes
« *Hè megliu à vede i so figlioli morti ch'è
vedeli fà una gattiva azzione* »
(Il vaut mieux voir ses enfants morts que les
voir commettre une mauvaise action)

Di figlioli è di cagnoli
Nun ne piglià razzini
Enfants et chiots
Ne les prends pas de race
(Car ils occasionnent trop d'ennuis, réclament
trop de soins
cf. également : *Omi, cani è cavalli*
Un' ne piglià di razza
Hommes, chiens et chevaux
Ne les choisis pas de race)

A' chì vole una bona furtuna
Nasci bastardu à bona luna
Qui veut une bonne fortune
Naisse bâtard à la bonne lune
« *Quellu ch'hà da riesce pò nasce bastardu...
basta ch'ella sia à bona luna* »
(Quelqu'un qui doit réussir peut même naître
bâtard... pourvu que ce soit à la bonne lune)

Un' parlà di razza in casa di bastardi
Ne parle pas de race dans la maison des
bâtards

S'è tù mariti a to figliola vicinu
Una ne dai è centu ne pigli

Si tu maries ta fille près de chez toi
Tu en donnes une et en récupère cent
« Perch'è pigli tutta a parentia... »
(Parce que tu te retrouves avec toute la
parenté du mari)...

Hè megliu à dì « tè ! » ch'è « mò ! »
ou encore :
Hè megliu sempre à dà
Ch'è vene à dumandà
Il est mieux de donner
Que de venir demander (à ses enfants)
*« Hè megliu à dà à i so figlioli ch'è aspettà
ch'elli ti ne dianu »*
(Il vaut mieux donner à ses enfants
qu'attendre qu'ils t'en donnent)

Quandu sparti, sparti bè
Quandu tona ùn trimà
Quand tu partages, partage bien
Quand il tonne ne tremble pas
*« Ghjè per tutte e spartizie ma sopr'à tuttu e
spartere quandu tutte e parti sò pare ùn ci hè
nunda à teme »*
(Cela vaut pour tout partage, mais surtout
ceux d'un patrimoine ; quand toutes les parts
sont identiques il n'y a rien à craindre)

**Belli scemi quelli chì si crepanu pè lascià i
figlioli ricchi**
Bien fous ceux qui se crèvent pour laisser
leurs enfants riches

**I genitori vivenu più per i figlioli ch'è per
elli stessi**
Les parents vivent plus pour leurs enfants
que pour eux-mêmes

Corcia a panca induve nun posa barba bianca

Malheureux le banc où aucune barbe blanche ne s'asseoit

a panca : le banc, ordinairement de pierre, tout près de la porte d'entrée, sur la façade principale de la maison ; les vieux *(e barbe bianche)* s'y tenaient assis, par beau temps.

Quandu era giovanu eiu, cumandavanu i genitori, ma avà cumandanu i zitelli

Quand j'étais jeune c'était les parents qui commandaient, mais maintenant ce sont les enfants qui le font.

Pè stà indu i to figlioli
Sia ceca, sorda è muta

Pour vivre chez tes enfants
Sois aveugle, sourde et muette

A' chì maltratta i so vechji
Un' pò andà bè

Pour qui maltraite ses vieux
Ça ne peut aller bien

ou encore :

A' chì maltratta i so vechji
Li sarà resa in vechjaia

Qui maltraite ses vieux
Se le verra rendre dans sa vieillesse

ou encore :

Chì maltratta i so vechji
Diu u casticherà

Qui maltraite ses vieux
Dieu le punira

Un' ci vole mai à mettesi in trà l'unghje è a carne

Il ne faut pas se mettre entre l'ongle et la
chair
« *Un' s'occupa omu micca di l'affari di quelli
chì sò ìntimi* »
(On ne se mêle pas des différends entre
intimes ; cf. On ne se glisse pas entre l'arbre
et l'écorce)

**L'omi chì hanu i so panni assestati hanu
donne chì sanu travaglià**
Les hommes aux vêtements bien soignés ont
des femmes qui savent travailler

**L'omu chi mostra e govite fora
Hè vergogna di a moglia è di a nora.**
L'homme qui montre ses coudes (parce que
ses vêtements sont déchirés)
Fait la honte de sa femme et de sa belle-fille.

**Nipoti allevati
Servizii ghjittati**
Neveux élevés
Services jetés

L'orgogliu più forte hè quellu di i toi
L'orgueil le plus marqué est celui des tiens

ou encore :
**L'orgogliu più forte hè quellu chì nasce in
trà mezu à i parenti**
L'orgueil le plus marqué est celui qui naît
entre parents.

Chapitre IV

Du Mariage

Tuttu u mondu vole pruvà
Tout le monde veut essayer

Tuttu u mondu vole pruvà
Tout le monde veut essayer

Ognunu trova scarpu à so pede
Chacun trouve chaussure à son pied

Piglia moglia
Chì t'affrinarà
Prendre femme
Ça te calmera
(On employait cette formule pour la mer,
quand elle était prise de tempêtes, et pour un
garçon tête brûlée que rien ne pouvait arrêter ;
par plaisanterie on prononçait plutôt :
Piglia mugliè
Chì t'affrinarè
(de tournure plus archaïque).

Megliu ch'è nunda
Maritu vechju
Mieux que rien
Un vieux mari

Ti prumettu casa è vigna
Tandu chì prendi mia figlia
Je te promets maison et vigne
Jusqu'à ce que tu prennes ma fille
(Et quant à les donner vraiment ensuite, c'est
une autre affaire...)

A' ch'ùn si sente in polsu ùn prendi moglia
Qui n'en a pas l'énergie ne prenne pas femme

Nun si sceglienu ch'è i mariti !
On ne choisit que les maris !
« Ghjeranu i cumercianti chì dicianu què... à
quelle chì tuccavanu troppu a roba... » (C'était
les commerçants qui disaient ça aux femmes
qui touchaient trop la marchandise)

Fichi è moglie si ponu sceglie
On peut choisir les figues et les épouses
(cf. le sens obscène ordinairement rattaché au
terme *fìcu* qui évoque traditionnellement le
sexe féminin)

I matrimoni sò ghjochi di carte
Les mariages sont jeux de cartes

Matrimoni è viduvali sò dal celu destinati
Mariages et veuvages sont des destinées du ciel

Figliola sola
T'allisciu la coda
Fille unique
Je te flatte la jupe

Una donna incù a dota hè megliu ch'è e
bellezze
Une femme dotée vaut mieux que toutes les
beautés

Vale più una donna ch'è un casale
Une femme vaut mieux qu'un patrimoine
un casale : un patrimoine ; mais en
Castagniccia, et plus précisément, cela désigne
un bois de châtaigniers

U bellu hè per tutti
E' u goffu per chì piace
Le beau est pour tous
Et le laid à qui ça plaît
« Quessa si dicia di unu chì si sciglia una
moglia goffa »
(Cela se disait de celui qui choisissait une
femme laide)

A' chì piglia una donna bella hè sicuru d'esse
curnutu
Qui prend une belle femme est sûr d'être cocu

Un' si sà mai da u bè à u male
Du bien au mal, on ne sait jamais
« Un' si pò mai prevede sò ch'ellu si pò fà di
un' affare, ma sopr'à tuttu di un matrimoniu »
(On ne peut jamais prévoir ce que l'on pourra
obtenir d'une affaire, mais surtout d'un
mariage)

A' chì disprezza vuol comprare
Qui déprécie veut acheter
« Pè tene u più ch'ellu si pò u secretu... per chì
a ghjente ùn si dubiteghjinu di nunda... ma hè
sopr'à tuttu quessa chì pare bizarra !... »
(Pour garder le plus longtemps possible le
secret (d'une relation amoureuse)... pour que
les gens ne se doutent de rien... mais c'est
surtout ça qui paraît bizarre !...)

A' la fine di tanti guai
Un Lucchese ùn manca mai
A la suite de tant de malheurs (ceux d'une fille
légère)
Un Italien (un « Lucquois ») ne manque jamais
(pour l'épouser)
« Dicianu quessa... chì una zitella

scapricciata... truverà sempre un Talianu. »
(Les gens disaient ça... qu'une fille légère...
trouvera toujours un Italien.)

E fune longhe diventanu serpi
Les longues cordes deviennent des serpents
« Quessa si dicia di quelli chì stavanu assai
« fiansati »... à forza ùn si marita omu più
perch'è dopu ùn si supporta omu più »
(Cela se disait pour ceux qui restaient
longtemps fiancés... à force on ne se marie
plus parce qu'après on ne se supporte plus)

A stoppa vicinu à u focu ci stà male
L'étoupe ne va pas bien près du feu
« Quessa si dicia pè un giuvanottu è una
giuvanotta chì vivianu sottu à lu stessu tettu...
si dubitava chì ci pudia esse i rìsichi »
(Cela se disait pour un jeune homme et une
jeune fille qui y vivaient sous le même toit...
on supposait qu'il pouvait y avoir des risques)

Un' ci hè maritati
Ch'ellu ùn ci sia batalaghji
Il n'est de mariés sans potins

E più belle pere sò pè i porci
Les plus belles poires sont pour les porcs
« E più belle figliole sò sempre pè l'omi più
goffi »
(Les plus belles filles sont toujours pour les
hommes les plus laids)

E some s'acconcianu pè viaghju
Les charges (sur les mules) s'arrangent en
voyage
« A vita s'incaricheghja di davvi a sperienza...
quessa si dicia di quelli chì si ne fughjianu o

chì si maritavanu senza mancu un soldu è pò
chì finianu sempre pè sbrugliassi »
(La vie se charge de vous donner de
l'expérience... cela se disait pour ceux qui
« s'enfuyait » ou qui se mariaient sans un sou
vaillant et puis qui finissaient toujours par se
débrouiller)

Una donna face un omu
E' un omu face una donna
Une femme façonne un homme
Et un homme façonne une femme

Ghjè a donna chì face l'omu
C'est la femme qui fait l'homme

Incù u to più caru
Vivi più chjaru
Avec qui t'est le plus cher
Vis au plus clair

Moglia è maritu ponu esse in guerra di
ghjornu, ma facenu pace di notte
Femme et mari peuvent être en guerre de jour,
ils font la paix de nuit
Cf. *« E paci e facenu sottu à u lenzolu »*
(La paix, ils la font sous le drap)

U matrimoniu ghjè un paradisu quand'omu
hè d'accordu
E' un infernu quand'omu hè in disaccordu
Le mariage est un paradis lorsqu'on s'entend
bien
Un enfer si on n'est pas d'accord

Sì una donna si vole occupà in casa
Truverà sempre calcosa à fà
Si une femme veut s'occuper à la maison
Elle trouvera toujours quelque chose à faire

Donna di casa ùn pò esse stata
S'ell' ùn sà fà pane è bucata
Maîtresse de maison elle ne peut avoir été
Si elle ne sait faire ni pain ni lessive

L'omu ghjè cuntentu quand'ellu hà a botte
piena è a moglia briaca
L'homme est content quand il a le tonneau
plein et la femme soûle

A' chì hà a moglia astuta hà una ricchezza è
ùn a sà cunnosce
Qui a une femme avisée possède une richesse
et ne le sait reconnaître

L'omu prupone è a donna dispone
L'homme propose et la femme dispose

A moglia deve lasciassi guidà da u maritu
La femme doit se laisser guider par son mari

Un bon maritu ghjè un paradisu
Un gattivu maritu ghjè un infernu
Un bon mari est un paradis
Un mauvais mari est un enfer

U maritu tamantu à un ditu
Da a moglie vole esse ubbiditu
Un mari grand comme le doigt
Veut être obéi de sa femme

Ancu u pevaru hè chjuculellu
Ma si face sente
Le poivre aussi est tout petit
Mais il se fait sentir
« Quessa ghjè à prupositu di a ghjente chjuca
ma chì s'infilanu dapertuttu... in particulare i
mariti... malgradu chjuchi chì sanu imponesi »

(Ça, c'est à propos des gens petits mais qui se
faufilent de partout... en particulier les maris...
qui, même petits, savent s'imposer)

**A moglia di u vicinu ghjè sempre più bella
ch'è a soia**
La femme du voisin est toujours plus belle que
la sienne

**A virtù si cerca indu a moglia
E' a bellezza indu a cuncubina**
La vertu est à rechercher chez l'épouse
Et la beauté chez la concubine

Nun ci hè amore senza ghjelusia
Il n'y a pas d'amour sans jalousie

Omu ghjelosu hè mezu curnutu
Homme jaloux est à moitié cocu

U curnutu hè l'ultimu à sapella
Le cocu est toujours le dernier à l'apprendre

**U dulore di a moglia morta, in fin ch'ella stà
à piglià la porta
E' quella di u maritu, in fin ch' ellu stà à
esse suppellitu**
La douleur pour la mort d'une épouse dure
jusqu'à ce qu'elle passe la porte
Et celle pour la mort d'un mari jusqu'à ce
qu'on l'enterre

**Quandu a veduva si rimarita
A penitenza ùn hè ancu finita**
Quand la veuve se remarie
Sa pénitence n'est pas encore finie
*« Perchì ricumincia incù e difficultà incù un
antru maritu, è incù i figlioli, ecc. »*

(Parce qu'elle recommence pour des difficultés avec un autre mari, et les enfants, etc.)

Maritu aghju, maritu ùn aghju
Mi mariteraghju in mese di maghju !
J'ai un mari, je n'en ai pas
Je me marierai au mois de mai
« *(...) detta da una chì si n'era fughjita perch'è*
ùn si maritava omu in mese di maghju, mese
di Maria »
(dit par une fille qui s'était « enfuie » parce qu'on ne se mariait pas, en fait, au mois de mai, mois de Marie.
Cf. *Un' ti marità in mese di maghju,*
Chì roncanu i sumeri,
Ne te marie pas au mois de mai
C'est le moment où les ânes braient)

E spose settembrine
O veduve o mischine
Epouses de septembre
Ou veuves ou malheureuses
(Parce que le 8 septembre on fête avec beaucoup de dévotion, un peu partout en Corse, la naissance de la Vierge ? C'est du moins ce que suggère F.M. Alfonsi)

Disgraziata a nora chì casca in trà mezu à
mamma è figliola
Malheureuse belle-fille qui tombe entre une mère et sa fille

Trà socera è nora
Ghjè spessu malora
Entre belle-mère et belle-fille
Il y a souvent de pénibles moments

Chapitre V

De l'Amour

L'amore hè cecu
L'amour est aveugle

L'amore hè cecu
L'amour est aveugle

**Amore è tigna ùn guardanu induve elli si
mettenu**
L'amour et la teigne ne regardent pas où ils se
mettent

A giuventù campa d'amore è d'acqua fresca
La jeunesse vit d'amour et d'eau fraîche

Un' si scorda omu di u primu amore
On n'oublie pas son premier amour

**L'amore principia spessu in burla
E' finisce in veru**
L'amour commence souvent en plaisanterie
Et finit par être vrai

**Cun serinati è belle ochjate
Si facenu l'innamurate**
Avec des sérénades et de belles œillades
On fait des amoureuses

**Amore è signuria
Un' vole cumpagnia**
Amour et seigneurie
Ne veulent pas de compagnie

**Nun ci hè ostaculu chì possi arrestà
l'innamurati**
Nul obstacle ne peut arrêter les amoureux

Chì ci entra l'amore, cun l'anni ?
Qu'est-ce que ça a à voir l'amour, avec l'âge ?
*« Si pò esse innamurata di calchissia malgradu
la differenza di l'età »*
(On peut très bien être amoureuse de
quelqu'un malgré une grande différence d'âge)

U mezanu ti tradisce
L'intermédiaire te trahit
(Il était celui qui *purtava a parolla,*
transmettait le message, destiné à leur
amoureux, des jeunes filles qui ne savaient pas
écrire)

I figlioli ùn nascenu micca pè u Spiritu Santu
Les enfants ne naissent pas (par une opération)
du Saint Esprit.

**Amore rispettosu
Diventa ancu più fucosu**
L'amour tenu à distance
Devient encore plus fougueux

**Un basgiu per forza
Un' vale una scorza**
Un baiser pris par force
Ne vaut pas une croûte
scorza : croûte sur la tête des bébés

**Chì si piglia d'amore
Si chita di rabbia**
Qui se prend par amour
Se quitte de rage
« (...) Quandu l'amore face spusà ghjente troppu

disferenti... Sopr'à tuttu per via di a
situazione »
(Quand l'amour fait s'épouser des gens trop
différents... surtout par le statut social)

A' chì canta d'amore
A' chì canta di rabbia
Qui chante d'amour
Qui chante de rage

Dumatina à l'alba chjara
Senterai e stride, o cara !
Demain matin, à l'aube claire
Tu entendras les cris, ma chère !
« Ghjè una manera di minaccià di quellu chì si
vole vindicà è chì l'annunzieghja »
(C'est une manière de menacer de celui qui
veut se venger et l'annonce)

Chapitre VI

Des Femmes

A donna ne sà un puntu di più ch'è u Diavule
La femme en sait un point de plus que le Diable

A donna ne sà un puntu di più ch'è u Diavule
La femme en sait un point de plus que le
Diable

E donne sanu induve u Diavule sbatte a coda
Les femmes savent où le Diable remue la
queue

Nun ci hè sabatu senza sole
Un' ci hè donna senz' amore
Il n'est de samedi sans soleil
Il n'est de femme sans amour

A' chì più ne face diventa piore
Qui en fait le plus devient prieur
(Il s'agit du prieur des confréries
(e cunfraterne)
Cette formule s'appliquait aux filles légères
(elles s'en sortiraient toujours)

Per esse piaciutu da e donne
Bisogna à ludalle
Pour plaire aux femmes
Il faut les louer

Calci di ghjumente ùn tombanu i cavalli
Les coups de pied de jument ne tuent pas les
chevaux
On dit aussi, plus simplement : **ùn facenu**
male...

(ne font pas mal...)
« Quessa si dice quandu e donne si
« ribiffeghjanu »
(Ça, on le dit lorsque les femmes se rebiffent)

A donna hà menu forza ch'è l'omu ma u vince
La femme a moins de force que l'homme mais elle le vainc

Donne è malanni
Un' ne manca mai
Les femmes et les malheurs
Ça ne manque jamais

Un' hè colpa di a gatta
S'è a padrona hè matta
Ce n'est pas la faute de la chatte
Si sa patronne est folle
« Ghjè à propositu di e donne scialanguate...
S'omu lascia calcosa à mezu è chì quessa ghjè
manghjatu da a misgia, ùn hè micca a colpa di
a misgia... »
(C'est à propos des femmes peu soigneuses... Si on laisse quelque chose traîner et que c'est mangé par la chatte, ce n'est pas sa faute...)

U fume corre e belle è percotte e sceme
La fumée court les belles et afflige les folles
(On disait cela aux femmes qui se plaignaient de la fumée du *fucone*)

Di donne è di vinu
Un' ne fà magazinu
Femmes et vin
Ne les mets pas dans ta réserve
« Perch'è u vinu si n'acitiva... è e donne
pudianu cambià d'edea... »

(Parce que le vin tournait... et que les femmes
pouvaient changer d'idée...)

**Tira più un pelu di donna à l'insù
Ch'è dece boi à l'inghjò**
Un poil de femme tire plus vers le haut
Que dix bœufs vers le bas

E brame ùn venenu ch'è à e donne incinte
Les envies ne viennent qu'aux femmes
enceintes

ou encore :

Sò e donne incinte ch'hanu e brame
Ce sont les femmes enceintes qui ont des
envies

Chì ùn face la seconda more di partu
Qui ne rejette pas le placenta meurt en couches

Chapitre VII

Amitié, Voisinage

Una manu lava l'astra
E duie lavanu u visu
Une main lave l'autre
Les deux lavent le visage

Una manu lava l'astra
E duie lavanu u visu
Une main lave l'autre
Les deux lavent le visage
« *S'omu s'aghjuta in trà di vicini... in dui, si ne*
pò fà di più »
(Si on s'entraide entre voisins... à deux on peut
en faire plus)

A to vicina hè a to cucina
Ta voisine est ta cousine
« *Vole dì ch'è i to vicini sò i to cucini... S'è tù*
ai bisognu di calcosa, i to vicini sò subitu
custindi... avanti ch'elli ghjunghjinu i to
parenti, elli t'hanu aghjutatu »
(Ça veut dire que tes voisins sont tes cousins...
Si tu as besoin de quelque chose, tes voisins
sont tout de suite là... avant que tes parents
soient arrivés, ils t'ont déjà aidé)

A' chì hà pane è vinu
Pò invità u so vicinu
Qui a du pain et du vin
Peut inviter son voisin
(Le pain, le vin, cela rappelle bien sûr la
communion)

Fichi, noci è sermoni
Dopu Pasqua ùn sò più boni
Les figues, les noix et les sermons
Après Pâques ne sont plus bons
(*sermoni* désignerait ici les *fole*, les contes
merveilleux le plus souvent racontés par les
vieux avec une intention moralisante. Les
bonnes veillées sont celles d'hiver)

Solu indu a virtù ci hè a vera amicizia
Il n'est de véritable amitié que dans la vertu

Ch'un ficu si face un amicu
Avec une figue on se fait un ami
« Basta una bella manera, ti faci un amicu... »
(Une belle manière suffit pour te faire un
ami...)

Manghjatu u ficu
Persu l'amicu
Mangée la figue
Perdu l'ami
(Il n'y aurait donc de relations qu'intéressées...)

S'è tù voli tene l'amichi assai
Impiegali pocu
Si tu veux conserver longtemps tes amis
Emploie-les peu
« S'è tù voli cunservà i t'amici, ùn imbestià... »
(Si tu veux conserver tes amis, ne les embête
pas...)

Patti chjari
Amici cari
Contrats clairs
Amis chers
Cf. « Les bons comptes font les bons amis »
Quand on paie vite (*« pè nun allungà*
u debitu... »
pour ne pas prolonger la dette...)

et encore :

Conti chjari
Amicizia longa
Comptes clairs
Longue amitié

Lontanu da l'ochji
Lontanu da u core
Loin des yeux

Loin du cœur
(Des gens qui se séparent et ne se donnent plus
de nouvelles)

Chì perde a ghjente cun raghjò
Hè un cugliò
Qui perd les gens (i.e. ses relations) avec raison
Est un couillon

Induve nun ci hè l'amicu
Ci hè u nimicu
Là où n'est pas l'ami
Est l'ennemi
(Il n'y a pas plusieurs partis possibles)

Incù i vechji nemici
Un' fà nova amicizia
Avec les vieux ennemis
Ne conclue pas d'amitié nouvelle

L'omu di tanti nemici ùn more mai
L'homme chargé d'ennemis ne meurt jamais
« Quellu chì hà assai nemici ùn vole micca dì
ch'ellu sarà tombu... ognunu aspetta ch'ellu sia
l'astru ch'ellu a faccia... »
(Celui qui a de nombreux ennemis n'est pas
nécessairement tué... chacun attend que ce soit
l'autre qui le fasse...)

Vale più un bon amicu ch'è certi parenti
Un bon ami vaut mieux que certains parents

Vale più amicizia ch'è parentia
Amitié vaut plus que parenté
« Perch'è l'amici si sceglienu... »
(Parce que les amis, on les choisit...)

Chapitre VIII

L'Argent

A' chi ne vole si ne stanti
Qui en veut se le gagne

A' chì ne vole si ne stanti
Qui en veut se le gagne

I soldi facenu affaccà ancu i tignosi à e finestre
Les sous font se montrer même les teigneux aux fenêtres
« Un tignosu riccu ùn hà micca vergogna di mettesi à a finestra »
(Un teigneux riche n'a pas de honte à se mettre à la fenêtre)

L'interessu hè parente di u cancaru
L'intérêt est parent du cancer

U patrone di a roba ùn more mai
Le maître des biens ne meurt jamais
« A roba appartene sempre à calchissia »
(Les choses appartiennent toujours à quelqu'un)

Danari è pena in corpu
A' chì l'hà i si tene
Argent et mal au ventre
Qui les a se les garde

Danari è bastunate
Un' si n'accetta senza cuntà
Argent et coups de bâton
Ne s'acceptent pas sans compter

Si compra tuttu for ch'è bastunate
On achète tout sauf les coups de bâton

A' ch'hà i danni
Suvente mazzate è bastunate
Qui a subi des dommages
Reçoit souvent des coups de bâton
« Ti facianu un dannu... invece di pagatti,
t'insultavanu, ti ricusavanu »
(On te causait un dommage... au lieu de te
payer, ils t'insultaient, te repoussaient)

Soldi è bastunate
Un' si ne chjappa senza cuntà
L'argent et les coups de bâton
On n'en prend pas sans les compter
« Ci vole sempre à ricuntà i soldi... »
(Il faut toujours recompter les sous...)

U core di a ghjente ùn si pò vende
Le cœur des gens ne peut se vendre

Casa quant'è tu posi
E' terra quant'è tu vedi
Une maison comme on s'asseoit
De la terre tant qu'on en voit
« Pè vive bè una casa semplice è chjuca basta...
ma assai pruprietà »
(Pour vivre bien une maison simple et petite
suffit... mais, surtout, beaucoup de propriétés)

A' ch'hà più bellu filu
Face più bella tela
Qui a du plus beau fil
Fait une plus belle toile

A' ch'hà danaru face tuttu
Qui a de l'argent peut tout faire

A' ch'ha u pane è u cultellu
Face a fetta cum'ellu vole
Celui qui a le pain et le couteau
Taille la tranche comme il l'entend

A' ch'ha assai pevaru
U mette ancu indu e foglie
Celui qui a beaucoup de poivre
En met même dans les choux
« S'omu hà assai soldi ùn si face micca troppu
attenzione à e spese... u pevaru custava caru »
(Si on a beaucoup d'argent, on ne fait pas trop
attention aux dépenses... le poivre était cher)

A' ch'hà danaru è amicizia
Torce u collu à a ghjustizia
Qui a argent et amitié
Tord le cou de la justice

Senza soldi ùn si canta messa
Sans argent on ne chante pas de messe
« Senza soldi ùn si pò fà nunda, ùn si pò dì
mancu messe »
(Sans argent on ne peut rien faire, même pas
faire dire des messes)

Riches et Pauvres

I ricchi ùn sò boni ch'è à circà i poveri
quand'elli ne hanu bisognu
Les riches ne sont bons qu'à venir chercher les
pauvres quand ils en ont besoin

O Signò, aghjutate i ricchi ch'è i poveri si ne
stantanu
Seigneur, aidez les riches car les pauvres
travaillent

Di nasce riccu, quess'ùn hè una virtù soia
De naître riche, ce n'est pas un mérite

Danaru è fede
Hè più pocu ch'omu crede
Argent et foi
Sont plus rares qu'on ne croit
« *Spessu si crede chì a ghjente sianu ricchi è
divoti è invece ùn sò micca* »
(Souvent on croit que les gens sont riches et
croyants alors qu'ils ne le sont pas)

Fume è fame
Fumée et faim
« *Quessa si dicia di quelli chi sò poveri è
volenu fà crede ch'elli sò ricchi... cum'è
abbundanza ùn hanu ch'è fume è fame...* »
(Cela se disait de ceux qui sont pauvres et
veulent faire croire qu'ils sont riches... en
abondance, ils ne possèdent que « *fume è
fame* »...)

Poveri ma onesti
Pauvres mais honnêtes

A puvertà ùn face vergogna
La pauvreté ne fait pas honte
ou encore :
D'esse poveri ùn hè vergogna
Etre pauvre n'est pas une honte

A puvertà ùn guasta à nisunu
La pauvreté ne gâte personne
« *Poveri ma onesti, sò rispettati...* »
(Pauvres mais honnêtes, les gens sont
respectés...)

Hè megliu poveri è onorati ch'è ricchi è in vergogna
Mieux vaut être pauvres et honorables que riches et honteux

Corciu à ch'hè poveru
Malheureux le pauvre

Miseria è puvertà sò listesse
Misère et pauvreté sont les mêmes

Ancu u pocu hè assai per quellu ch'hà bisognu
Un peu c'est déjà beaucoup pour qui en a besoin

Sangue di e petre ùn si ne pò caccià
On ne peut tirer de sang des pierres
« Sianu puru bravi, s'elli ùn ne hanu, ùn ti ne ponu dà »
(Même si les gens sont gentils, s'ils n'en ont pas, ils ne peuvent t'en donner)

Disgraziatu hè quellu ch'ùn hà camisgia à cambiassi
Malheureux celui qui n'a pas de chemise de rechange

Quessu ghjè u scannatu
Un' hà mancu cendera in fucone
Celui-là c'est le malheureux (pris à la gorge)
Il n'a même pas de cendre dans l'âtre
(Formule désignant les plus pauvres qui n'ont même pas de bois pour allumer leur feu)

I pedi ùn avanzanu da u lettu à nimu
Les pieds ne dépassent du lit de personne
i.e. personne n'est jamais tout à fait à l'aise

(« *Tuttu u mondu hà calcosa...* »
Tout le monde a quelque chose qui cloche...)

Impezza panni
Passa l'annu
Rapièce
L'année passe
« *S'impezzava è si passava l'annu cum'ellu si*
pudia... »
(On raccommodait et on passait l'année comme
on pouvait...)

Puntu longu cum'è l'acu piglia
Un' fà inviglia à la mio famiglia
Des points aussi longs que ce que prend
l'aiguille
Ne font pas envie à ma famille
« *Indu e famiglie povere... cun parecnji*
figlioli... e impezzere eranu numerose è prestu
fatte »
(Dans les familles pauvres... avec de nombreux
enfants... les raccomodages étaient nombreux
et rapidement faits)
D'où la formule : « *Facenu punti di famiglia*
Sinu à sò ch'è l'acu piglia... »
(« Ils font des points de famille
Tant que l'aiguille peut en prendre... »)

A' ch'ùn hà danari
Un' hà più voglie
Qui n'a pas d'argent
N'a plus d'envies

ou sous forme de conseil :

A' ch'ùn hà danari
Un' abbia voglie
Qui n'a pas d'argent
N'ait pas d'envies

Induve nun corre la roba
L'amore ùn regna
Là où ne circulent pas les biens
L'amour ne règne pas

Alegru è senza danari
E' cusì marchjanu li mio affari
Joyeux et sans argent
Et ainsi marchent mes affaires

U lussu lampa e case in terra
Le luxe jette les maisons à terre

Les Dépenses

I soldi sò tondi è filanu in furia
Les sous sont ronds et filent vite

L'onore costa
« Per avè l'onori, ci vole à pagalli »
(Pour avoir des honneurs, il faut les payer)

Fin ch'è dura
Fà figura
Tant que ça dure
On fait bonne figure
« Sin'à ch'omu hà i soldi... »
(Tant qu'on a de l'argent...)

A' forza di caccià è d'ùn mette
A botte canta
A force de prendre et n'en pas mettre
Le tonneau chante

Un' si pò avè botte piena è moglia briaca
On ne peut avoir le tonneau plein et la femme
soûle

« Quessa si dicia di calchissia chì spendia assai
è chì si lagnava d'ùn avè soldi »
(Cela se disait de quelqu'un qui dépensait
beaucoup et se plaignait de ne pas avoir
d'argent)

Sì e spesite sò più grandi ch'è l'entrate
Un' si stà tantu à esse ruvinati
Si les dépenses dépassent les entrées
On ne tarde pas à être ruiné

Un' fà micca u passu più grande ch'è
l'infurcatoghja
Ne fais pas ton pas plus long que l'enjambée
« (...) à pruppositu di quelli ch'ùn sanu micca
regulà e so spesite »
Des gens qui ne savent pas régler leurs
dépenses)

Quella chì spende più ch'ella ùn hà dota
A so casa hè prestu viota
Celle qui dépense plus que sa dot
Voit sa maison bientôt vide

A' chì spende più ch'ellu guadagna
Và prestu à i forni
Qui dépense plus qu'il ne gagne
Va vite à la porte des fours (pour mendier du
pain)

A' chì face e furtune è à chì e si manghja
Qui fait les fortunes et qui les mange

ou encore :
A' chì face un casale
A' chì u manghja
Qui fait un patrimoine et qui le mange

U stirpatore di capre ùn more mai
Le gaspilleur de chèvres ne meurt jamais
(Formule qu'on dit à ceux qui ont de la chance
et s'en sortent toujours financièrement, même
en faisant n'importe quoi).

L'Economie

**A regula, ci vorebbe ancu à l'acqua di a
funtana**
De la mesure, il en faudrait aussi à l'eau de la
fontaine
*« Dicianu quessa à e donne chì ghjeranu
spendidore... ch'ùn faciànu mancu attenzione à
l'acqua strascinata da a funtana è perdianu
cusì u so tempu è so forze »*
(On disait ça aux femmes gaspilleuses... qui ne
faisaient même pas attention à l'eau charriée de
la fontaine et perdaient ainsi leur temps et
leurs forces)

**Un vestitu largu dura più ch'è un vestitu
strettu**
Un vêtement large dure plus qu'un vêtement
étroit

Ecunumia face un vestitu di seta
L'économie tisse un vêtement de soie

A miseria ùn vole risparmiu
La misère ne souffre pas l'économie

Un' hè micca a guazza chì empie u fossu
Ce n'est pas la rosée qui emplit le fossé
*« Un' ci vole micca à fà troppu piccule
ecunumie... »*

(Il ne faut pas faire de trop petites
économies...)

U risparatu hè per u gattu
Ce qu'on économise est pour le chat
*« Si sforza omu à fà l'ecunumie chì dopu sò
perse »*
(On se force à faire des économies qui seront
perdues)

Chì mi risparmia mi vuol bè
Qui me fait faire des économies me veut du
bien
*« Si dice di calchissia chì si aspettava à
manghjà è ùn vene micca »*
(Se dit de quelqu'un qu'on attendait à déjeuner
et qui ne vient pas)

Les Dettes

Ghjè riccu quellu ch'ùn deve nunda à nimu
Est riche celui qui ne doit rien à personne

Chì paga e so debite s'arrichisce
Qui paie ses dettes s'enrichit

Fora u dente
Fora a pena
Chassée la dent
Chassée la douleur
*« (...) spressione pè dì ch'è, una volta ch'è tù ai
pagatu u to debitu, ùn ai più penseru è ùn ai più
pena »*
(expression pour dire que, une fois que tu as payé
ta dette, tu n'as plus de souci et tu n'as plus mal)

Centu penseri ùn paganu un solu di debite
Cent soucis ne paient pas un sou de dettes

Sputami puru in faccia s'o ùn ti pagu
Crache-moi donc au visage si je ne te paie pas
(Dit par celui qui fait un emprunt, comme affirmation de bonne foi)

Vergogna è debite passanu prestu
La honte et les dettes passent vite
(Ce n'est pas une honte d'être endetté, et d'ailleurs on dit aussi : « *E debite ùn sò micca corne* »
Les dettes ne sont pas des cornes)

Debite sopra debite : nun ti lascià perì
Chì venerà a morte è pagherà cusì
Dettes sur dettes : ne te laisse pas périr
Parce que viendra la mort qui règlera ainsi
Pour les escrocs *(i scrucconi),* on disait aussi :
Debite vechje ùn si ne paga è e vechje si lascianu invechjà
(Les vieilles dettes, on ne les paie pas et les nouvelles, on les laisse veillir)

A' chì presta ci resta
Qui prête reste pris
(Quelque chose de prêté souvent n'est pas rendu)

Errore è muneta falsa ùn facenu pagamentu
Erreur et fausse monnaie ne font pas un paiement

A' alberu cadutu, accetta ! Accetta !
Contre l'arbre tombé, la hache ! La hache !
« *A' calchissia chì ghjè ruvinatu... tuttu u mondu si porta nantu à ellu* »
(Quelqu'un de ruiné, tout le monde s'acharne sur lui)

Ce qui renvoie à une attitude plus générale :

A' a fica chì ghjimba
Tuttu u mondu s'arremba
Au figuier qui penche
Tout le monde s'appuie
(F.M. Alfonsi cite à ce propos la fable de
La Fontaine : « Au lion devenu vieux »...)
ou encore :

A' u sumere (à i cavalli) mucatu(i)
E mosche l'incorrenu
L'âne (les chevaux) blessé(s)
Les mouches le(s) poursuivent
mucatura : ulcération provoquée par le harnais

Le Commerce

A' ch'ùn face vede mancu ùn spachja
Qui ne montre pas ne vend pas

A roba bella si vende da per ella
La belle marchandise se vend d'elle-même

A chì loda a pignula hè u pignulaghju
Qui loue le grilloir (à café) est celui qui l'a fait
« *Ognunu vanta a so marcanzia* »
(Chacun vante sa propre marchandise)

A roba face u prezzu
La marchandise fait le prix

A roba ùn hè mai cara quand'ella si trova à
cumprà
Les choses ne sont pas chères quand on trouve à
les acheter
« *A roba necessaria si compra à n'importa chì*
prezzu »

(Les choses nécessaires s'achètent à n'importe quel prix)

Marcanti è porci si pesanu dopu morti
Les marchands et les porcs se pèsent une fois morts
« *Certi marcanti... si credenu ricchi, è po... cusì cum'è i grossi purcelli...* »
(Certains marchands... on les croit riches, et puis... de même pour les gros cochons...)

Chapitre IX

Manger

Hè dura à stantà u pane
C'est dur de gagner son pain

Hè dura à stantà u pane
C'est dur de gagner son pain

Pè campà
Bisogna à manghjà
Pour vivre
Il faut manger

Un' si pò fà pane senza farina
On ne peut faire de pain sans farine
(Image alimentaire pour parler de ceux qui voulaient faire beaucoup de choses sans moyens)

U pane manghjatu hè prestu sminticatu
La pain mangé est vite oublié

Saccu viotu ùn pò stà rittu
Sac vide ne peut tenir debout

A' corpu viotu
L'anche s'incavichjanu
Le ventre vide
Les jambes s'affaiblissent
« *Quellu chì ùn manghja manca di forza pè viaghjà* » (Celui qui ne mange pas manque de forces pour marcher)

A bocca si trova ancu à bughju
On trouve sa bouche même dans le noir
« Si on a faim, *ancu per esse à bughju, si trova a bocca* »

A caca è a fame face sorte da u lettu
L'envie de chier et la faim font sortir du lit

Cun a fame sorte u lupu di a tana
La faim fait sortir le loup de sa tanière
(Le proverbe existe aussi avec *a volpe*, le renard)

Di manghjà è di grattà
Tuttu hè à principià
Manger et se gratter
Le tout est de commencer

Si manghja pè campà
Un' si campa micca pè manghjà
Il faut manger pour vivre
Et non pas vivre pour manger

Manghja quant'è tu hai appitittu
Mange selon ton appétit

Hè megliu à manghjallasi ch'è ghjittalla
Il vaut mieux manger que jeter
« *S'omu a pò !* » (Si on peut !)

Sò chì si manghja ùn hè ghjittatu
Ce que l'on mange n'est pas jeté
(Réflexion contre le gaspillage)

E bestie ùn manghjanu ch'è à a so bastanza
Les bêtes ne mangent qu'à leur faim

Gallina è capra
Più manghja più caca
Poule et chèvre
Plus elles mangent plus elles chient

I zitelli manghjerebbinu sempre
Les enfants mangeraient tout le temps

Ch'ella sia di paglia o di funa
Basta ch'è u corpu sia pienu
Que ce soit de paille ou de foin
Il suffit que le ventre soit plein
« *Ch'omu manghji bè o male, u più impurtante*
hè d'avenne à bastanza »
(Que l'on mange bien ou mal, l'essentiel est d'en
avoir assez)

Manghja pane schettu
Averai i denti d'oru
Mange ton pain sec
Tu auras les dents en or
« *Era sò ch'omu dicia à i zitelli* »
(C'est ce qu'on disait aux enfants)

Manghja a minestra o salta la finestra
Mange ta soupe ou saute par la fenêtre
« *E' quessa s'è tù ùn sì micca po cuntentu di a*
suppa ch'elli ti servenu... Ci vole à suddisfassi di
l'ordinariu »
(Et cela si tu n'es pas content de la soupe qu'on te
sert... Il faut se satisfaire de l'ordinaire)

A paura ghjè s'ellu ùn ci hè pane indu a madia
La peur c'est quand il n'y a pas de pain dans la
huche

Chì si chjina senza cena
Tutta la notte si rimena
Qui se couche sans dîner
Remue toute la nuit

Focu spintu è pignatta rotta
Feu éteint et marmite brisée
« *Quessa ghjè a miseria ! Senza focu è senza*
manghjà ! »
(Ça, c'est la misère ! Pas de feu et rien à
manger !)

Nè cottu, nè crudu
Nè speranza di cocene
Ni cuit, ni cru
Ni espoir de cuire
« *E quessa dinù !* » (Et ça aussi !)

Corciu à quelli chì ùn scaldanu fornu à sabatu
sera
Malheureux ceux qui ne chauffent pas de four,
arrivé au samedi soir
(C'est que le samedi soir est la dernière limite
pour faire le pain ; la famille n'avait donc pas
assez d'argent pour acheter *a facitoghja*
(i.e. la quantité de farine nécessaire pour le pain
de la semaine)

Pasqua Pifania, à ch'ùn face lasagne
Tuttu l'annu si lagna
Pour l'Epiphanie, qui ne fait pas de lasagnes
Se plaint toute l'année

A' chì ùn pienghe
Mancu tetta
Qui ne se plaint pas
Ne tête pas non plus
(A celui qui est misérable et ne se plaint pas,
personne ne vient en aide)

U techju ùn crede u famitu
Le repu ne croit pas l'affamé

A' ch'hà più bellu fiore
Face più bellu pane
Qui a plus belle farine
Fait plus beau pain
« *Quelli chì hanu più soldi sò i megliu nutriti* »
(Ceux qui ont le plus d'argent sont les mieux
nourris)

**Quandu ghjè pienu u zanu, scumparti cun
regula a farina
Un' ti manghjà tuttu a sera, laca calcosa pè a
mattina**
Lorsque la panse est pleine, partage avec mesure
la farine
Ne mange pas tout le soir, laisse quelque chose
pour le (lendemain) matin

**Cun l'annata di a divizia
Pensa à l'annata di a dicetta**
Pendant l'année de l'abondance
Pense à l'année de la disette
(Il faut apprendre à prévoir)

**Tempu à grilli è tempu à capretti
Disse a Volpe cun tutti i so versetti**
Temps des sauterelles et temps des agneaux
Dit le Renard avec tous ses couplets
a volpe : l'animal de la ruse
« *Quessa si dicia di quelli chì ghjeranu andati da
a miseria à l'abbundanza... Avianu sapiutu fà i
s'affari* »
(Cela se disait des gens qui étaient passés de la
misère à l'abondance... Ils avaient su faire leurs
affaires)

**A' chì hà vezzu à i bon bucconi
Un' si sà cuntentà di i gattivi**
Qui a l'habitude des bons morceaux
Ne sait se contenter des mauvais
(Il est difficile de se restreindre pour celui qui n'y
a pas été habitué)

**Pane biancu è fichi maturi
E' ch'ella duri**
Du pain et des figues mûres
Et que ça dure
(Expression du bien-être *(u bene stà)*...

bitu chì face u prete
...oit qui fait le prêtre

ch'è tù ai addossu
ch'è tù ai in corpu
...ue tu portes sur le dos
...e que tu as dans le ventre
...rgogna à piattà ecc.

...stutu in paese
...a pò fà
...au village
...e peu faire

...on dirait un évêque

...e, on dirait un baron
...sbaglia »
...rompeuse)

...este

...aires des autres

Si manghja è si beie
E' alegri si stà
On mange, on boit
Et on est joyeux

Amaru, amaru
Tenimi caru
Amer, amer
Que je te sois cher
« *Più u vinu era amaru, più l'omi u prefe-
rianu...* »
(Plus le vin était amer, plus les hommes le
préféraient...)

Omu di vinu ùn vale quattrinu
Homme de vin ne vaut rien

L'acqua fà fangu
U vinu fà sangue
L'eau fait de la boue
Le vin du sang

**A' chì beie sempre acqua finisce per avè e
granochje in corpu**
Qui boit toujours de l'eau finit par avoir des
grenouilles dans le ventre

Un bon bichjeru di vinu face stancià u sudore
Un bon verre de vin fait sécher la sueur

**Sì tù voli truvà u vinu bonu manghja prima e
noci**
Si tu veux trouver bon le vin mange d'abord des
noix

Incù a pulenda ùn ci vole vinu
Avec la *pulenda* il ne faut pas de vin

A' chì manghja i fasgioli rìsica d'avè a panza gonfia
Qui mange des haricots risque d'avoir le ventre gonflé

Manghja pane è noci
Senterai bella voce
Mange du pain et des noix
Pour avoir une belle voix

Un' hè mi cca l'à
Ce n'est pas l'ha

Ognunu vede sò
E' nimu vede sò
Chacun voit ce q
Mais personne c
cf. *Hé megliu ve*

A' chì hè ben ve
Ghjè furasteru o
Qui est bien vêtu
Est étranger ou l

Vesti un steccu
Pare un vescu
Habille un bâton

ou encore :

Vesti un zappone
Pare un barone
Habille une pioch
« *L'apparenza ti*
(L'apparence est

Chì di l'astri si v
Prestu si spoglia
Qui se vêt des aff
Vite se déshabille

« S'è tù ti metti a roba di l'astri, sì obbligatu di rendela è dopu sì torna spugliatu... prima a ghjente si prestavanu i panni perchì eranu malavviati... sculzali, fasciò, mandili... pè e grandi occasioni... quand'elli andavanu in un antru paese, sopr'à tuttu pè l'interri... o pè falà in Bastia... Si prestavanu sò ch'ell' avianu di megliu quandu ùn ne avianu micca assai »

(Si tu mets les affaires des autres, tu es obligé de les rendre et après tu es encore sans rien... avant les gens se prêtaient les vêtements parce qu'ils étaient malheureux... tabliers, châles, mouchoirs... pour les grandes occasions... quand ils allaient dans un autre village, surtout pour les enterrements... ou pour descendre à Bastia... Ils se prêtaient ce qu'ils avaient de mieux quand ils n'en avaient pas beaucoup)

Ben calzatu è ben pettinatu
Hè mezu vestutu
Bien chaussé, bien peigné
C'est être à moitié habillé

Manghja à gustu toiu
E' vestiti à gustu di l'astri
Mange à ton goût
Et habille-toi à celui des autres

« Per esse à a moda, ùn si veste micca cum' omu vole... Un' si pò vestesi n'importa cumu ostrimenti si rende omu ridiculi »

(Pour être à la mode, on ne s'habille pas comme on veut... On ne peut pas s'habiller n'importe comment, autrement on se rend ridicule)

Achevé d'imprimer
le 15 avril 1984
sur les presses de
l'Imprimerie A. Robert
24, rue Moustier - Marseille
pour le compte des
Editions Rivages
10, rue Fortia
13001 Marseille

Tirage : 4.000 exemplaires

Dépôt légal : 2e trimestre 1984